D0314510

L'AGENCE PINKERTON

87, quai Panhard-et-Levassor – 75647 Paris Cedex 13
ISBN : 978-2-0812-4330-9

MICHEL HONAKER

LE RITUEL DE L'OGRE ROUGE

Flammarion

1. NEIGE ET FLAMMES

Au nord de l'État de Californie
Printemps 1870

Aussi loin que je me souvienne, jamais je n'eus aussi froid qu'en poussant mon cheval dans les derniers lacets menant à Trader Camp. Le crépuscule m'avait pris de vitesse et répandait ses encres sur les versants escarpés des monts Klamath. Des neiges résistantes nacraient les rochers drus et l'air giflait mon visage aussi durement qu'une cravache en cuir. C'est qu'ici l'hiver refusait de donner libre cours au renouveau des saisons. Il s'accrochait à chaque escarpement, chaque combe, avec la férocité d'un ours refusant de partager son butin.

J'avais passablement sous-estimé les rigueurs du climat de la Californie du Nord.

J'aurais dû plier sous une fourrure d'ours et porter un bonnet en bonne vieille peau de castor, mais non : cette marotte de toujours vouloir m'habiller avec élégance, en toutes circonstances, l'avait emporté sur la prudence la plus élémentaire. Ainsi, mon costume rayé et mon manteau à col d'hermine faisaient sûrement beaucoup d'effet, mais ils n'étaient qu'un maigre rempart contre ce blizzard. Et alors que des engelures naissaient à toutes mes extrémités, que mes jambes n'étaient plus que béquilles en bois, je commençais à craindre de ne pas arriver au terme de mon voyage.

Par quel miracle je tins assez longtemps en selle ? Pardi, j'avais la fougue et l'entêtement propres à un jeune homme entraîné aux expéditions, aux muscles endurcis par les exercices autant que les chevauchées interminables. Sans parler de cette détermination sans faille qui vous anime lorsqu'une mission de la plus haute importance vous est confiée... Voilà pourquoi je parvins finalement à bon port, chancelant sur mes étriers, au milieu d'une des plus extraordinaires fourmilières humaines qu'il m'ait été donné de contempler : des centaines de tentes et de baraquements en matériau de récupération formaient le squelette d'un village accroché à flanc de précipice. De cet invraisemblable bric-à-brac s'échappaient des cris et des rires. Partout, des hommes barbus et mal lavés, vêtus de frusques innommables, allaient et venaient pour s'adonner aux plaisirs des heures sombres. La plupart étaient déjà fin saouls, et c'est à peine s'ils accordèrent un regard à l'épouvantail couvert de givre auquel je devais ressembler.

Trader Camp, oui, aucun doute.

Je menais mon cheval le long d'une allée boueuse balisée de lanternes et m'arrêtai devant un auvent de toile grise au fronton duquel une pancarte mal écrite indiquait : « Saloon des Veinards ». Un nom tout à fait approprié en ce qui me concernait. Un soupir de soulagement s'échappa de mes lèvres, semblable à la plainte d'un coyote blessé, et je dégringolai piteusement de ma selle pour atterrir dans la gadoue. Je restai là sur mon derrière, dans l'indifférence générale, à me demander par quel moyen je trouverai la force de me relever, quand un prospecteur à la barbe ébouriffée comme la toison d'un porc-épic me tendit une main secourable et me remit sur pied.

— Toi, tu viens d'arriver, fiston, hé ? me lança-t-il.

— J'att... J'atterris à l'instant, grelottai-je. À... qu... quoi ça se voit ?

— À ton teint frais et ta démarche légère, pardi !

— J'ai... J'ai l'impression que mes f... fesses sont toujours accrochées à la selle.

— Je t'assure que tu les portes sur toi, fiston. Et c'est une chance. Les Indiens aiment bien s'attaquer aux solitaires sur la piste. Tu viens prospecter ? T'arrives un peu tard. Les meilleures concessions sont déjà prises.

— N... Non, je suis à la recherche de quelqu'un. Un c... certain Dulles. Angus Dulles. Criminel. Incendiaire.

Tout de suite, l'homme se rétracta comme une moule de rivière qu'on vient de taquiner.

— Qui le demande ? s'enquit-il en plissant ses petits yeux sombres. T'es un de ces maudits chasseurs de primes ?

— Non, monsieur. Agence Pinkerton. J'ai un mandat d'arrêt contre ce type, alors si...

Je n'eus pas le temps d'achever. Le bonhomme jusqu'alors si cordial se cracha dans la main avec dégoût avant de la frotter frénétiquement contre son paletot.

— Pouah ! J'ai touché un satané « Pink » ! Moi ! Je n'aurais pas trop de toute la rivière pour ôter l'odeur, maintenant.

Et sur ces paroles si peu aimables, il détala sans attendre en pestant. Je lâchai un soupir fataliste. Partout où je déclinais mon identité et ma fonction, j'obtenais la même réaction d'hostilité et de mépris. Je n'arrivais pas à comprendre cette répulsion instinctive qu'éprouvaient la plupart des gens pour l'Agence. Nous, les Pinkerton, étions assermentés pour traquer brigands, assassins et hors-la-loi de toutes sortes, veiller à la sécurité de nos concitoyens désarmés, partout où la force publique était incapable de le faire. Nous disposions de pouvoirs conférés par le Président des États-Unis en personne, et cependant une détestable réputation de brutalité nous précédait où que nous allions. Je peux pourtant attester que ces prétendues méthodes expéditives étaient moins répandues que les gazettes n'ont bien voulu le faire croire à l'opinion.

Le bureau central de Chicago m'avait prévenu : à Trader Camp, je ne devrais compter que sur moi. De tels repaires de chercheurs d'or, il en existait beaucoup dans ces montagnes depuis près d'un demi-siècle, depuis que la première rumeur avait affirmé qu'elles recelaient de prodigieux filons, capables de rendre un homme millionnaire en une seule journée de travail. Ces ruches éphémères bâties à la hâte pour mieux pouvoir être démontées étaient peuplées d'anciens ouvriers des chemins de fer au chômage, d'émigrants, de crapules sans foi ni loi. Tous étaient frappés par la crise qui sévissait dans l'Est, et tous étaient unis par le même rêve fou, celui de s'enrichir d'un coup pour s'arracher à la misère.

Où trouver l'homme que je cherchais, parmi ces taudis... En admettant que les informations dont je disposais soient encore valables. Je me tenais sur le seuil du « Saloon des Veinards ». À l'intérieur, il y avait de la musique, de la chaleur. Autant en profiter et commencer par là. Une cinquantaine de prospecteurs se coudoyaient dans le vacarme, amassés devant une simple planche clouée sur des tonneaux qui faisait office de comptoir. Je parvins à me faire servir un café à fort goût de lessive qui avait au moins l'avantage d'être brûlant. Il me remit à peu près d'aplomb, et me donna le courage d'attirer l'attention.

— Messieurs, navré de vous déranger, je m'appelle Neil Galore. J'appartiens à l'Agence Pinkerton, police fédérale. Je recherche un dénommé Dulles, un jeune gars enrobé qui...

Les plus aimables me tournèrent le dos, les autres crachèrent par terre en me défiant droit dans les yeux... Devais-je m'attendre à autre chose ? Je jugeai inutile d'insister et commandai un autre café pour me consoler. Le patron de l'endroit, un gros prussien barbu se pencha discrètement vers moi et marmonna avec son épouvantable accent germanique :

— Égoutez, je grois zavoir dé gui vous parlez. Un type bizarre, aveg une face de bébé, des dâches de rousseur, mmmh ?

— Vous l'avez-vu ?

— Pfff... À botre place, je le laisserais dranquille. Il est de la Californian Prospect. Ce zont eux qui détiennent la plupart des concessions. Zeux qui z'approchent de trop près, groyez-moi, on ne les revoit plus bar izi.

— Où niche-t-il ?

— Ach, mon brave ami. Là-haut, dou là-haut...

Je ressortis, sinon pleinement renseigné, du moins tout à fait ragaillardi et capable de marcher droit. Je voulais agrafer Angus Dulles, coûte que coûte. Lui et moi avions certains comptes à régler, en dehors du mandat d'arrêt que je détenais contre lui. Poussé par je ne sais quel pressentiment, je furetai parmi les tentes et les baraquements. La misère que j'entrevoyais à l'intérieur faisait peine à voir : des vêtements épars, des lanternes, des pelles et des pioches encore boueuses, des tamis... Pour tout confort, un matelas pouilleux jeté souvent à même le sol ou un simple hamac. Combien de pauvres bougres usaient ici ce qui leur restait de santé, sur la seule foi d'une rumeur qu'un chanceux avait découvert une pépite ? La plupart avaient acheté à des escrocs des concessions de pierrailles qui ne valaient pas un dollar. Les plus à plaindre étaient ces gens de l'Est, ces pieds-tendres, qui pensaient avoir trouvé ici un sens à leur vie. Autour d'eux rôdaient bandits et escrocs, comme autant de chacals autour d'une bête isolée. Et quelque part, dans ces montagnes, des Indiens indomptés attendaient leur heure pour frapper les imprudents...

Oui, tel était Trader Camp, me dis-je, peuplé de ventres creux et d'esprits vides. Je songeai que j'aurais aussi bien pu être des leurs, fourbu et aviné, si ma vie n'avait pris un tournant inattendu, si le hasard ne m'avait fait entrer chez Pinkerton. Et alors que je pataugeais dans les ornières boueuses, méditant sur les méandres du destin, le phénomène se produisit.

Il avait disparu de ma vie depuis plusieurs semaines et j'avais fini par croire que je ne souffrirais plus de ses effets... Non, il attendait probablement des circonstances telles que celles-ci pour se révéler à nouveau. Le décor misérable s'estompa, l'activité bourdonnante s'assourdit, tout mouvement m'apparut comme au ralenti, à l'exception d'une chose et d'une seule. Ce que je cherchais.

Je me tournai d'un bloc.

Emmitouflé dans un manteau gris à col de fourrure, son chapeau de fermier abaissé sur son front, Angus

Dulles remontait le chemin, un baquet d'eau à la main. Il me vit également, et notre surprise réciproque nous figea à quelques mètres seulement l'un de l'autre. Et puis cette expression faussement candide se peignit sur sa face constellée de taches de rousseur, celle qui m'avait si fortement déplu la première fois que je l'avais rencontré.

Avant que j'aie pu esquisser le moindre geste en direction du Derringer passé à ma ceinture, il me lança son seau à la figure et virevolta dans un froissement de manteau pour prendre les jambes à son cou. Je le pris en chasse dans les méandres bourbeux du camp ponctués de bivouacs, bousculant tout ce que je rencontrais sur mon passage. Dulles n'avait que quelques foulées d'avance. Il était plus massif et moins rapide que moi. Je grignotai d'abord mon retard, mais bientôt, la fatigue aidant, mes jambes déjà mises à rude épreuve se contractèrent.

— Stop ! haletai-je, tu es en état d'arrestation !

Il se retourna pour m'adresser un rictus de défi qui semblait vouloir dire : « Oui, oui, cours après moi... Tu y es presque... »

Sauf qu'à vouloir me narguer ainsi, il heurta un abreuvoir et se retrouva à terre, pris à partie par les mules qui se désaltéraient et tentèrent de l'évincer à coups de sabot. Chance inespérée. Je fus sur lui en deux foulées. Je parvins à tirer mon minuscule pistolet à deux coups de ma ceinture et visai. Impossible de l'atteindre avec certitude. Ma main tremblait de froid. Immobile sur le dos, il fit mine de lever les bras.

— Je te ramène à Sacramento pour y être jugé, promis-je.

En dépit de sa fâcheuse posture, il éclata d'un rire inattendu.

— Tu ne tireras pas, Galore. Tu n'es toujours pas un vrai Pinkerton !

J'allais le persuader du contraire quand il roula sous le ventre des mules avec une agilité surnaturelle et se releva d'un bond de l'autre côté de l'abreuvoir. Furieux contre moi-même, qui n'avais pas eu le cran de presser la détente, je dus reprendre la poursuite. En me voyant revenir dans son sillage, mon fugitif me fit un drôle de signe avec le pouce... Et une flamme jaillit entre ses doigts ! Je lui avais déjà vu faire ce tour, et savais de quoi il était capable...

Il fonça à l'intérieur d'une tente, d'où les occupants, en caleçon, n'eurent que le temps de prendre le large pour échapper à l'incendie spontané qui commençait à mordre la toile. Dulles en ressortit pour pénétrer dans un deuxième abri, puis un troisième, mettant le feu à tout ce qu'il touchait. Le brasier se répandit avec une vitesse incroyable, provoquant un mouvement de panique chez les mineurs, qui se mirent à courir en tous sens.

Dulles en profita pour disparaître. Pourtant, à aucun moment je ne le perdis de vue. Même masqué par la foule, j'avais l'impression qu'un fil invisible me reliait à lui... Je cessai de courir. Et alors qu'il se réfugiait derrière une baraque, en pensant m'avoir semé, je lui tombai dessus en le prenant à revers.

Nous dévalâmes la pente enchaînés dans une lutte furieuse jusqu'à nous retrouver au bord du précipice. Le torrent semblait gronder de plaisir en contrebas en attendant que l'un de nous bascule. Nous échangeâmes des bordées de coups de poing, mais rien ne semblait mettre à bas mon adversaire. J'aurais sûrement eu le dessus si par hasard, mes doigts ne s'étaient refermés sur sa montre à gousset. Je me rappelai quel sinistre genre d'hommes j'avais en face de moi, à quelle étrange confrérie il appartenait, et ce que cette montre signifiait pour lui [1]. Je tirai sur la chaîne et l'arrachai d'un coup sec. Dulles poussa un cri d'orfraie et chercha désespérément à reprendre son bien, comme si sa vie en dépendait. Cette fois, je parvins à le repousser et braquer mon petit Derringer sous son museau.

— Ne compte pas que j'hésiterai, Angus. J'ai deux balles dans ce jouet. Des balles très spéciales, tu vois ce que je veux dire ?

Mon prisonnier recula vers le précipice, en apparence résigné. Il n'avait plus la moindre chance de fuir. Du moins le croyais-je… Car il m'adressa un petit salut cordial, et avant que je puisse seulement tendre la main, d'un bond, il se jeta dans le vide. Je me penchai pour tenter de distinguer quelque chose, mais dans cette obscurité, j'aurais été bien en peine de savoir si les rapides l'avaient déjà englouti. Quelle folie s'était donc emparée de lui ? Quelle sorte de démon l'habitait pour qu'il sacrifie sa vie de la sorte ?

Je considérai sa montre, mon maigre trophée, et ouvris le boîtier pour y découvrir l'inscription fatidique : « Par les honneurs, la Brigade Pâle. ». Les aiguilles étaient arrêtées sur trois heures dix. Le mécanisme ne fonctionnait plus depuis des lustres. J'avais déjà tenu un tel objet dans ma main par le passé. Si j'avais eu le moindre doute au sujet d'Angus Dulles, il venait de s'évaporer. Il appartenait bien au sinistre escadron de la mort, auquel l'Agence avait déclaré une guerre sans merci.

Les mains sur les genoux, épuisé par ma course folle, je ne perçus pas immédiatement ce qui se tramait dans

---

1. Voir Livre 1 : *Le Châtiment des Hommes-Tonnerre.*

mon dos. C'est seulement quand j'entendis la phrase fatale que je compris.

— C'est lui, le satané Pinkerton ! C'est lui qui a mis le feu au camp ! Je l'ai vu faire !

Ce brave homme qui m'avait si aimablement tiré de la fange tantôt me désignait d'un index accusateur. Que ne m'avait-il laissé dans la mare ! Il n'en fallut pas davantage pour qu'une bande de prospecteurs ivres ne s'avance vers moi, armée de pelles et de pioches, prête à me réduire en bouillie. Face à cette meute, je n'avais guère de chances de m'en tirer, même armé de mon deux-coups. Mes jambes étaient en guimauve, mes doigts gelés. Je sortis mon badge officiel avec le rictus du joueur de poker qui abat une carte trop faible pour remporter la mise.

— Agence Pinkerton ! menaçai-je. Vous êtes tous en état d'arrestation.

Ces bougres se jetèrent sur moi comme un seul homme et les coups se mirent à pleuvoir. Puis il y eut un coup de feu tiré par une carabine Winchester, modifiée Henry, reconnaissable entre mille, et une voix calme et menaçante à la fois tonna :

— Du calme. Ce pèlerin-là est à moi.

Je crois qu'ensuite je perdis connaissance.

2. ENTREVUE MYSTÈRE

Chicago, trois semaines plus tôt...

C'est par une soirée brumeuse que le fiacre m'avait déposé dans le Quartier des Manufactures. À cette heure tardive, ce haut lieu d'usines et de bureaux s'était vidé de ses employés pour offrir l'aspect d'une coquille vide. Quant à cet immeuble austère qui me surplombait sous le ciel poisseux, il était bien le seul à distiller quelques lumières par ses fenêtres étroites. Fallait-il s'en étonner ? Non, car je me trouvais devant le siège de l'Agence nationale Pinkerton, avec dans ma poche un télégramme signé par son directeur en personne, le très éminent et très redouté Mr. Allan Pinkerton.

Depuis mon arrivée, je n'avais reçu aucun signe de l'Agence, à tel point que je m'en étais d'abord inquiété. Les premiers jours, j'avais passé mon temps à marcher de long en large dans ma chambre meublée en me rongeant les sangs, inquiet de cette convocation, dont j'ignorais encore le but. Puis j'avais décidé de mettre cette oisiveté à profit pour visiter les bibliothèques, les musées et me rendre au théâtre, soucieux de rattraper mon retard en matière d'instruction. J'avais passé le plus clair de mon enfance dans les saloons – endroits peu réputés pour former les jeunes esprits à la culture générale – et je ne connaissais rien du reste du monde. J'ignorais tout de ce qui s'était écrit, composé ou peint. Cette ville foisonnante se prêtait à merveille à ma curiosité, si bien que je commençais bientôt à prendre goût à cette vie d'étudiant. Jusqu'à ce que le fameux télégramme ne me soit délivré.

J'avais attendu ce moment avec tant d'impatience et de fièvre, et voilà qu'au bas de l'immeuble qui abritait l'Agence, je me sentis comme pris de panique. Je me mis à fredonner : *« Oh, my darling, what's wrong with you... »*, ce refrain de cabaret que ma mère chantait autrefois. Il me revenait involontairement aux lèvres en chaque occasion où j'étais amené à prendre une décision importante. J'avais conscience qu'en gravissant ce perron je m'engageais sur un chemin différent de tous ceux auxquels j'avais songé jusqu'alors. L'idée de faire demi-tour m'effleura. Après tout, je n'avais jamais été jusqu'ici qu'un supplétif de fortune pour l'Agence. Je ne lui devais rien. Mais c'eut été tiré un trait définitif sur mes ambitions. J'étais en effet convaincu d'avoir enfin trouvé ma voie. Je me sentais l'âme d'un détective, et les récents événements survenus à San Francisco [1] n'avaient fait que m'en persuader davantage.

Je pris un temps pour rectifier ma cravate-jabot et mes boutons de manchette, incliner ce qu'il fallait mon chapeau melon sur l'oreille, et finis par pousser la porte.

---

1. Voir Livre 1.

Je m'attendais à trouver des gardes, des portes métalliques, et je ne sais quels autres signes intimidants d'autorité et de justice. Or, je pénétrai dans un vestibule tout juste digne d'un poste de police, mal éclairé par des globes lumineux. Un imposant portrait en pied de Mr. Pinkerton trônait sur le mur, brossé à traits puissants par le peintre, et constituait la seule touche de couleur des lieux. Juste au-dessous veillait le fameux symbole de l'Agence, l'Œil Ouvert, sous lequel se lisait la devise désormais célèbre : « *Nous ne dormons jamais.* »

Seule présence humaine, un homme se tenait très droit derrière un comptoir surélevé. Enserré dans un costume strict, les cheveux graisseux plaqués sur un crâne oblong, il paraissait affairé à mettre de l'ordre dans ses registres. À peine s'il m'adressa un regard quand je me présentai devant lui en pinçant poliment mon chapeau melon. Avant que j'aie pu ouvrir la bouche, il chaussa un monocle et récita d'un ton blasé :

— Pour une plainte, je vous conseille de vous adresser à la police locale. Pour une mission que vous voudriez confier à l'Agence, vous devrez d'abord rencontrer un détective et remplir les formulaires qu'il vous donnera, si toutefois votre demande reçoit notre approbation. L'Agence ne saurait être tenue pour responsable de l'échec d'une mission si des éléments indispensables à la remplir lui ont été, volontairement ou non, dissimulés... Et par ailleurs, nos locaux sont fermés jusqu'à demain neuf heures. Sinon, bonsoir.

Jugeant qu'il avait dévidé son discours de bienvenue, je me présentai.

— Agent Neil Galore. Je suis attendu par Mr. le directeur ainsi que par un certain monsieur... Price.

Le factionnaire en perdit son monocle.

— Un instant, jeune homme. Montrez-moi votre badge.

Il doutait visiblement de la réalité de mon identité et ma carte ne lui tira qu'un haussement de sourcils méprisant.

— Un simple insigne de supplétif, remarqua-t-il, rien de plus. Et vous dites avoir rendez-vous ?

— Peut-être ceci vous convaincra-t-il ?

Je plaquai sur son pupitre le télégramme. Quoi de plus réjouissant que d'assister alors à la métamorphose de cette figure en forme de poire qui du plus absolu mépris passa instantanément au respect le plus embarrassé ?

— S... Seigneur... bredouilla le bureaucrate déconfit. Vous avez pour ordre de vous rendre directement chez Mr. Price ?

Il prononça ce nom avec une sorte d'effroi superstitieux.

— Eh bien, pardonnez-moi, je ne me doutais pas...

— Je dois signer quelque part ?

— Non, absolument pas. Les réunions chez Mr. Price ne nécessitent aucune formalité.

Il s'inclina légèrement avant de glisser d'un air entendu :

— Elles n'existent pas, vous comprenez ? Mr. Price... Mr. Price n'a pas de bureau officiel ici.

— Alors où puis-je le trouver ?

— Là-haut, tout là-haut. Vous ne pourrez pas vous tromper...

Je gravis les escaliers chichement éclairés en me demandant si quelque porte merveilleuse ne s'ouvrait pas dans le toit pour aboutir directement en un lieu céleste où régnait la mystérieuse direction de l'Agence... et je dois confesser que cette idée ne fit qu'attiser ma curiosité et mon impatience. Au passage, je notai que des agents travaillaient encore à chaque étage, attestant l'exactitude du slogan. Non, les Pinkerton ne dormaient jamais.

Arrivé au dernier palier, j'aperçus un rai de lumière filtrer à l'extrémité du couloir par la bonne volonté d'une porte entrouverte. Je pensais pénétrer dans le fameux bureau du directeur, maintes fois décrit dans la presse comme le centre de sa toile d'araignée policière, surchargée de dossiers en vrac, de trophées et de diplômes... Ma déception fut grande d'entrer dans une pièce mal éclairée aux murs lépreux, dénuée de mobilier à l'exception d'une simple chaise disposée au centre. Je sus que je n'étais pas seul avant même de sentir l'odeur douceâtre du tabac.

— Bonsoir, lançai-je.

En guise de réponse, le bout incandescent d'un petit cigare troua la pénombre dans l'angle opposé. Je fis celui que rien n'étonne et pris posément place sur la chaise, qui m'était forcément destinée... En vérité, j'avais la gorge sèche et maîtrisais bien mal le tremblement de mes doigts. Que signifiait cette mise en scène ? Je me promis de ne plus ouvrir la bouche. Le silence est l'arme des braves.

— Ah, vous voilà ! s'exclama Allan Pinkerton dans mon dos.

Le directeur de l'Agence referma la porte derrière lui et se posta devant moi dans l'une de ses postures favorites, la tête légèrement inclinée, le front soucieux, sa main droite logée entre deux boutons de son gilet, à la façon de Napoléon. Quand cet homme-là posait son regard sur votre personne, vous étiez submergé par le sentiment d'être incapable de lui cacher le moindre secret. Vous sentiez qu'il avait déchiffré vos pensées les plus enfouies comme dans un livre ouvert. J'eus maintes occasions par la suite de vérifier que Pinkerton était doué de facultés mentales hors du commun. Je ne m'explique pas autrement l'ascendant qu'il était capable de prendre sur les criminels les plus retors.

Il avait alors la cinquantaine et cependant ses larges épaules de lutteur, son cou épais, sa figure épatée cerclée d'une barbe poivre et sel concourraient grandement à asseoir son autorité... Quant à ses yeux, ces billes de métal fondu couvant sous les sourcils broussailleux, nul n'était capable d'en soutenir l'éclat. Et moi moins que d'autres.

— Je désire vous présenter l'un de mes associés, Mr. Leonard Price, annonça-t-il d'un ton dégagé.

À l'autre bout de la pièce, le cigarillo répandit une lueur plus vive et exécuta une pirouette, que j'attribuai à une sorte de salut.

— Mr. Price dirige la Branche Spéciale, enchaîna le directeur.

Je me raidis imperceptiblement. La Branche Spéciale... Qui n'en avait pas entendu parler ? Pour le commun des mortels, ce département de l'Agence était une invention de journalistes. Personne n'avait jamais attesté de son existence réelle et voilà que j'apprenais de la bouche du Pinkerton en personne qu'elle était tout sauf une création imaginaire. Pourquoi me confier pareil secret ?

— Mr. Price a toute ma confiance, enchaîna l'étrange personnage, et celle du Président des États-Unis, Ulysse Grant. Ainsi que vous le savez peut-être, la Branche Spéciale s'occupe des affaires particulières, celles qui ne trouvent pas de solution avec les moyens courants. Elle veille jalousement à garder le secret sur la réalité de son existence, mais il nous est apparu, à Mr. Price et à moi-même, que vos... talents, disons, pourraient lui être utiles. Je ne vous recommande pas la discrétion, agent Galore, n'est-ce pas ?

— En... En effet, balbutiai-je.

— Je vous laisse, vous avez à discuter, je crois.

Sur ces paroles, Pinkerton se retira aussi vivement qu'il était apparu, et je me trouvai seul face à mon mystérieux interlocuteur, qui n'avait pour toute existence visible que ce petit cigare nomade jouant dans la pénombre.

— Mr. Pinkerton répugne à connaître la nature exacte de mes activités, lança Mr. Leonard Price. Ce n'est d'ailleurs pas de gaieté de cœur qu'il a fondé la Branche Spéciale voici déjà une quinzaine d'années. Au fond, c'est un rationnel qui, un beau jour, a été confronté à une énigme que la science seule était impuissante à résoudre. Des forces mystérieuses agitent notre monde. Le nier, c'est faire preuve d'une incommensurable naïveté. N'est-ce pas, agent Galore ?

— Incommensurable, attestai-je.

— J'ai entendu dire que vous avez récemment affronté l'une de ces forces.

Price s'exprimait avec une assurance, une recherche, qui laissait entrevoir un degré d'éducation peu répandu chez les détectives de l'Agence. Assez curieusement, ce ton me détendit et je répondis avec calme.

— Si vous faites allusion à l'affaire du « Chapardeur », le type qui opérait à bord du *Transcontinental*, la réponse est oui.

— Vous vous méfiez de moi, je le sens. La rumeur qui prétend que je suis un maître en magie noire a été répandue par mes soins pour impressionner les canailles. Je n'ai pourtant rien d'un sorcier. Mon département peut s'honorer du plus fort pourcentage de réussite grâce au dévouement et à la discrétion de ses agents triés sur le volet. La crème de la crème. Mais ils disposent pardessus tout de certaines facultés. Tout comme vous. Je peux risquer une question, si vous m'y autorisez ?

— Faites.

— Compte tenu de votre aptitude à lire dans le jeu de vos adversaires au cours d'une partie de poker, rien qu'en effleurant leurs cartes, pourquoi ne pas vous être enrichi ?

— Sauf votre respect, monsieur, vous connaissez mal ce milieu. Si j'avais gagné trop souvent, je n'aurais pas fait de vieux os. Il est probable qu'on m'aurait descendu au prétexte que j'étais un tricheur.

— C'était le cas, d'une certaine manière.

— Je ne le nie pas.

— Votre talent n'a jamais été démasqué.

— Vous semblez avoir lu mon dossier. Je n'ai rien à ajouter. Sauf ceci. Je ne désire pas passer devant le Tribunal des Cagoules. Ni jurer sur la Bible Noire, ni subir le test de la Chambre de la Terreur.

Leonard Price partit d'un petit rire.

— Vous ne croyez pas sérieusement à l'existence de telles pratiques en notre sein, Mr. Galore ? Ces contes pour enfants sont là pour impressionner nos adversaires. Ils n'ont aucun fondement.

— Vous m'en voyez soulagé, répondis-je.

Je savais pertinemment qu'il mentait au sujet de ces rituels. De source sûre, j'avais appris la réalité de leur existence. Le message était donc le suivant : j'étais mis à l'épreuve, et mon niveau présent n'autorisait pas Mr. Price à m'en dévoiler davantage. Quelque part, j'en fus rassuré.

— Que savez-vous de la Brigade Pâle, agent Galore ? demanda-t-il tout à trac.

Depuis le début de mon séjour à Chicago, je m'étais efforcé d'oublier les événements qui s'étaient produits l'an passé dans les montagnes de la Sierra... Tout là-bas, si loin... Cette terrible aventure des Hommes-Tonnerre avait été si cauchemardesque que je n'en avais pas fermé l'œil durant de longues semaines. D'autant que j'avais découvert certains secrets sur mon passé... Et voilà qu'en un instant je m'y trouvais replongé. J'eus devant les yeux l'image des terrifiants cavaliers blêmes sanglés dans leurs poussiéreux uniformes sudistes d'un autre âge. J'eus peine à trouver mes mots :

— Ce sont des mercenaires qui sont apparus pendant la guerre de Sécession [1] aux côtés des Sudistes. Ils formaient une milice féroce qui attaquait les campements de nuit. D'après les rumeurs, il s'agissait d'hommes envoûtés, incapables d'éprouver la fatigue, le froid, la faim. La peur... Et surtout, ils semblaient doués pour échapper aux balles ordinaires. Seuls des projectiles de type Minier, dont on a doté l'armée du Nord au cours du conflit, peuvent en venir à bout. J'ai pu le vérifier par moi-même.

J'estimai avoir déroulé tout mon savoir, du moins pour la part que je souhaitais aborder, car j'avais d'autres raisons plus personnelles de m'intéresser à cette faction de bourreaux. Leonard Price observa un silence qui pouvait passer pour une sorte d'assentiment avant d'indiquer :

---

1. Guerre civile américaine (1861 à 1865) où s'opposèrent dans un conflit sanglant les États du sud (appelés confédérés) et ceux du Nord (appelés yankees), avec pour enjeu l'abolition de l'esclavage et l'unité de la nation.

— La guerre civile a été une chose terrible. Elle a créé toutes sortes de monstres, mais aucun qui puisse se comparer aux cavaliers de la Brigade Pâle. Et plus encore au plus cruel d'entre eux... Cet homme, Cecil Wardrop, vous croyez réellement qu'il est votre père ?

Je fus pris au dépourvu. Comment diable cet homme pouvait-il connaître ce détail ? Quand cette révélation m'avait été faite, j'aurais juré être seul, et j'avais depuis veillé à n'en parler à âme qui vive.

— Nous n'en saurons jamais rien, répondis-je. Wardrop est en vie mais il a complètement perdu l'esprit. J'ai appris qu'il avait été enfermé sous haute sécurité au fort d'Alcatraz, dans la baie de San Francisco...

— Nous pensons en effet qu'il représente encore une menace malgré son délabrement mental. Cecil Wardrop est un cas extraordinaire, ainsi que vous l'avez remarqué. Ancien de la Brigade Pâle, embauché par les Chemins de Fer comme contremaître, il s'est signalé par sa cruauté envers les ouvriers chinois avant de se... dédoubler. Vous portez donc le nom de votre mère ?

— C'est exact.

— Et vous ne tenez guère à savoir la vérité sur vos origines, somme toute. L'ignorance est une forme de protection, n'est-ce pas ?

— Tout dépend des circonstances, monsieur.

J'étais bien conscient d'être testé, ausculté, mis à l'épreuve dans ce que ma vie avait de plus intime. Je trouvai le moment idéal pour avancer un pion à mon tour.

— Dans l'affaire dont vous parlez, monsieur, j'ai obtenu l'aide précieuse d'un ancien agent Pinkerton, Calder Weyland.

Price haussa les sourcils.

— Mr. Weyland est mieux qu'un ancien agent, c'est une légende, Galore. Mais ne vous leurrez pas. Il refusera de vous aider dans l'enquête qui vous attend. Nous n'en avons pas fini avec la Brigade Pâle. Nous ignorons toujours comment ces gens deviennent ce qu'ils sont, et quels sont leurs véritables chefs. La guerre est finie depuis longtemps, mais ils n'ont jamais été si puissants. Tout laisse à penser qu'ils forment une sorte d'agence calquée sur la nôtre, mais dévouée au crime. Nous devons les réduire à néant. Mr. Pinkerton estime qu'il s'agit d'une priorité pour mon département. L'un de ces brigadistes a été signalé dans un camp de chercheurs d'or des monts Klamath. Vous le connaissez, je crois... Accusé de meurtres et d'incendies volontaires... Angus Dulles.

L'information me prit de court, en même temps qu'elle fit ressurgir en moi la frustration d'avoir laissé échapper ce sinistre individu lors de notre dernière rencontre [1].

— Vous aurez pour mission de l'arrêter, conclut Price, ainsi que deux de nos agents déserteurs. Je veux parler des dénommés Armando Demayo et Elly Aymes, qui ont été engagés en même temps que vous et n'ont plus donné signe de vie depuis six mois. Je vous laisse toute latitude pour juger de leur sort.

Price décela-t-il mon trouble à cette annonce ? J'aurais été naïf de penser le contraire, et d'ignorer que jouer avec mes sentiments faisait partie de sa stratégie.

— En ce qui concerne Demayo et Aymes, tentai-je de plaider, je suis certain qu'ils...

— Que cela leur plaise ou non, coupa Price, ces deux personnes ont signé des contrats chez nous, agent

---

1. Voir Livre 1.

Galore. Il n'y a pas de déserteurs chez Pinkerton... Et seul le résultat compte.

Le cigarillo s'éteignit.

J'attendis près d'une minute, puis, n'y tenant plus, je saisis la lampe sur le guéridon et la levai pour avoir enfin le privilège de découvrir le visage de mon invisible interlocuteur.

Il n'y avait plus personne.

3. OÙ GÈLENT LES RUISSEAUX

À mon réveil, j'étais encore à Trader Camp. J'en voulais pour preuve que j'apercevais par la porte ouverte les Monts Klamath se découpant dans le ciel clair, et que j'entendais le cliquetis des pioches des prospecteurs labourant la berge du torrent. Je soulevai la tête, mal en point. J'étais étendu dans une cabane en rondins, sur une rude paillasse, à proximité d'un bon poêle. Les coups reçus la veille m'avaient engourdi les épaules et le bas du dos, mais je me sentais calme, presque détaché des avanies du monde réel. J'aurais pu rester longtemps ainsi, à savourer béatement cette situation, si une délicieuse odeur de viande grillée n'était venue me chatouiller les narines.

Je n'avais rien mangé depuis deux jours. La faim me donna assez d'assurance pour m'enrouler dans la couverture et risquer mon nez dehors. Un vieux bonhomme emmitouflé dans un fatras de fourrures surveillait la cuisson d'un lapin au-dessus d'un feu de bois.

— Tu es réveillé, pèlerin ? me lança-t-il malicieusement en se tournant à demi.

Pèlerin ! Voilà un terme qu'un seul homme au monde pouvait utiliser à mon égard.

— Calder ! Calder Weyland ? C'est vous ?

Si j'avais imaginé le retrouver dans un endroit aussi retiré que ce campement perdu ! L'ancien éclaireur de l'armée avait domestiqué ses longs cheveux gris en une tresse qui courait sur son épaule. Le froid avait encore buriné son visage si singulier, où chaque voyage, chaque expérience, chaque danger avaient imprimé leur ride. Sa moustache en croc s'était confondue avec une barbe fournie – la meilleure protection naturelle contre les rudesses du climat. Son regard noir et perçant n'avait rien perdu de son acuité, comme au temps où il guidait les convois de colons au travers des Grandes Plaines. J'ai déjà raconté en quelles circonstances j'ai rencontré cet homme étonnant à bien des égards, et comment je m'en étais fait un véritable ami en dépit de notre différence d'âge.

— Vous parlez d'une aubaine ! me félicitai-je. Qu'est-ce que vous fabriquez dans cet endroit ?

— Je prospecte, pardi.

— Ne me faites pas rire, je ne vous imagine pas vous échiner sur une pioche du matin au soir.

Il fouilla dans l'une des poches de son improbable manteau et en ressortit un petit caillou irrégulier qui brillait sous le soleil avec la splendeur d'un astre. Mes yeux s'agrandirent d'admiration.

— De l'or ? Quoi ? Vous en avez trouvé ?

— J'ai marché dessus, soupira Weyland comme s'il s'agissait là d'une regrettable infortune. Sans même avoir à creuser. Quand je pense à tous ces damnés en bas qui cassent du caillou et s'empoisonnent la santé depuis des années pour des clopinettes... Le monde est mal fait. Personne ne voulait de cette cabane, ni de cette concession. On les jugeait trop éloignées du filon principal qui se trouve en bas, près du torrent. Je les ai acquises pour rien. Et voilà. Tiens ta langue, pèlerin. Je n'ai pas l'intention d'ébruiter l'affaire, ou ma vie deviendrait vite un enfer. Assieds-toi et mange un morceau.

Il préleva une cuisse de lapin qu'il plongea dans un bol de haricots à la sauce piquante et me tendit le tout. Tandis que je me rassasiais en me brûlant la langue, j'éprouvai une curieuse impression de déjà-vu.

— Cela me rappelle cette fameuse nuit au cœur de la Sierra, me souvins-je.

— Ouaip, approuva-t-il. La Passe Crèvecœur de sinistre mémoire...

Weyland attendit que je me soie copieusement empli la panse, puis glissa son reproche dans un sourire entendu :

— Félicitations, pèlerin ! Débouler dans un camp de mineurs échauffés comme des bourdons pour brandir ton insigne de Pinkerton. Finement joué. Tu aurais mérité qu'ils te ficellent et te fassent rôtir comme ce lapin... Ce qu'ils auraient sûrement fait si je n'étais pas intervenu. Encore une erreur de ce genre et je ne donne pas cher de ta carcasse.

— Comment je m'en suis sorti ?

— Très dignement. Gonflé comme une courge en travers de ma selle. Heureusement, ces bougres ont du respect pour mon âge.

— Ils vous ont laissé m'emmener ?

— À condition de te pendre au premier arbre venu. Tu as de la chance. Je suis surtout un beau parleur. La vérité, c'est qu'ils étaient tous aussi bourrés que des barriques. Ici, le soir venu, c'est une foire d'empoigne permanente. La solitude, l'alcool, les jalousies. Un pauvre monde en vérité… Je t'ai soigné avec des racines indiennes. Tu n'as rien de cassé, mais tu risques de tourner de l'œil au premier coup de vent si tu n'y prends pas garde. La commotion. C'est ainsi que l'appellent les médecins.

Sur ce diagnostic, il mangea à son tour, mordant à belles dents, sans se préoccuper du reste. J'en profitai pour examiner l'endroit où il vivait : la petite cabane se tenait penchée sur un promontoire étroit qui dominait tout Trader Camp et, au-delà, le torrent où s'affairaient les chercheurs d'or. Au-dessus de nos têtes, une falaise rocailleuse plantée de hauts sapins raclait les nuages. C'était un lieu magnifique, propice à la réflexion et au retour sur soi. Et pourtant, j'éprouvais le sentiment diffus qu'il recelait maintes menaces.

— Ton cheval tient compagnie à ma mule derrière la maison, indiqua Calder en s'essuyant la bouche d'un revers de manche. Je te conseille de ne pas le déranger avant demain. Il a souffert pour arriver jusqu'ici. Et nom de nom, tu vas sérieusement devoir changer de garde-robe. Je t'ai laissé de quoi te couvrir à l'intérieur. Un type congelé n'a jamais arrêté personne.

— On m'a parlé d'Indiens peu commodes, par ici…

— Pour ça, admit Weyland en coulant un regard soupçonneux vers les hauteurs, ce n'est pas ce qui manque. On ne les voit pas, mais ils sont là. Ils observent en permanence et attendent le moment favorable pour écorcher le premier imbécile qui s'éloigne du camp. D'après ce que j'ai pu deviner, ce sont des Pomos.

— Je n'en ai jamais entendu parler.

— Mmmh… Ils vivaient sur la côte il y a longtemps avant de se réfugier ici, sur les hauteurs, pour échapper aux Blancs. On les reconnaît encore à leur peau très sombre, et leurs parements de coquillages. Ils ne valent pas mieux que les serpents à sonnette qui leur servent d'animal de compagnie. Nous empiétons sur leur territoire sacré. Pour eux, cet endroit est le rendez-vous des esprits. C'est ici qu'ils se livrent aux *ghost dances*, aux danses des fantômes.

— Comme chez les Sioux ?

— Non, ici, c'est très différent, moins folklorique. Les Pomos prennent la chose plus au sérieux encore. Ils se déguisent, dansent, jusqu'à incarner ces esprits, pénétrés qu'ils sont par les forces surnaturelles qui habitent ces montagnes.

— Je préférais vos aimables Païutes et leur croyance en une force supérieure qui permettait à l'homme de se dépasser...

— La même chose, pèlerin. Crois-tu sérieusement qu'il existe plusieurs « Grands Esprits » ? Païutes, Pomos, Sioux... Tous pressentent qu'il existe une force au-delà du monde visible. S'ils la parent d'attributs et de noms différents selon les régions, ils la vénèrent avec autant de force. Le Puha, la force primitive, est partout. Elle emplit chacun de nous, mais chez certains elle s'est développée jusqu'à gouverner leur vie...

— C'est votre cas, non ?

— Je ne suis pas indien, répliqua prudemment Weyland.

— Que sont devenus Poisson-qui-file-sous-la-pierre et vos amis Païutes du Nevada ?

— J'ai passé un hiver en leur compagnie et ce séjour m'a apporté beaucoup de réconfort après la mort de mon frère Salomon. Ce sont des gens admirables, extraordinairement simples. Ils vous offrent des pignons de pin ou de la viande, selon la fortune du jour, sans jamais rien demander en retour. Parce que vous êtes là, vous êtes des leurs. À vous de leur rendre la pareille, en fonction de vos compétences. Ils parlent peu, mais un regard ou une mimique suffisent à exprimer ce qu'ils ont sur le cœur. Quand ils ont levé le camp, un matin, ils n'ont pas pris la peine de m'avertir. Ils savaient que le temps était venu pour moi aussi de poursuivre ma route. Poisson-qui-file-sous-la-pierre t'adresse ses salutations. Il ne t'a pas oublié. Je suis d'ailleurs persuadé que tu as occupé nombre de ses séances de méditation.

— Pourtant, j'avais l'impression qu'il ne m'appréciait guère.

— Peut-être a-t-il pressenti en toi des choses que tu ne soupçonnes pas encore ?

— Qu'est-ce qui vous a conduit ici ? éludai-je. Vous ne deviez pas retourner voir votre belle-sœur, dans l'Est ?

— J'y suis allé, mais je ne suis pas resté, bien que nous nous soyons réconciliés. Elle possède une jolie maison et m'aurait volontiers donné asile. J'adorais sa véranda. Le soir, je contemplais les couchers de soleil... en me disant qu'ils étaient plus beaux à l'Ouest. On ne se refait pas. J'appartiens à ces étendues. J'ai donc sellé mon vieux cheval et je suis reparti comme j'étais venu.

— Ne me dites pas que c'est le hasard qui vous a conduit à Trader Camp, je ne vous croirais pas une seconde...

Le sourire malicieux revint sur sa figure parcheminée.

— Un hasard, pèlerin. J'ai croisé cette crapule de Dulles qui ressortait d'un bureau des concessions minières à Redding, les poches bourrées de titres de propriété. Il ne m'a pas reconnu. Il est vrai qu'il ne m'avait jamais vu de près, et avec ce déguisement d'ours... Il n'agissait pas pour son compte mais celui d'une société basée à San Francisco, la Californian Prospect. Je l'ai suivi jusqu'ici et acquis la concession la plus proche de la leur, où nous nous trouvons présentement. Depuis, je les observe en jouant les prospecteurs. Ils sont de la Brigade Pâle, j'en mettrais ma main au feu, et je me suis juré de traquer ces lascars jusqu'en enfer. Ils nous en ont trop fait baver pendant la guerre.

Brusquement, je n'eus plus faim. Mon estomac se serra au souvenir de mon pitoyable échec de la veille.

— L'Agence aussi veut se débarrasser de ces gens. J'avais pour mandat de ramener Dulles. Outre l'affaire du photographe de Sacramento, il était recherché pour avoir allumé plusieurs incendies. Notamment celui d'une grange dans le Wyoming, où il avait enfermé son père adoptif... Dire que j'étais à deux doigts de réussir.

— Toujours armé de ton maudit Derringer deux-coups, hein ? me rabroua Calder. Je ne t'ai pas déjà dit que c'était juste approprié pour une querelle de saloon ? Au grand air, ces petites balles vont juste assez loin pour tomber sur tes bottes !

— Je n'ai pas pu presser sur la détente parce que j'avais les doigts gelés.

— Ouaip. Si tu veux te mesurer à ceux de la Brigade Pâle, tu dois être capable de les abattre au premier coup. Eux ne te feront pas de cadeau.

Le ton était sans concession. Inutile de se raconter des sornettes ou de se trouver des excuses. Weyland disait vrai.

— Si cela peut te mettre du baume au cœur, ajouta-t-il, Dulles n'est sûrement pas mort dans le torrent, sans quoi les chercheurs d'or qui travaillent en aval auraient déjà rapporté son cadavre.

— Je l'ai vu tomber. Une chute de plusieurs mètres, dans une eau si peu profonde...

— Il en faut plus pour désosser un gars de la Brigade Pâle. Quelque chose vit en eux, ou plutôt, survit en eux...

— Si Dulles est en vie, je l'aurai. Lui et les autres. Comme j'ai eu Wardrop.

Weyland marqua un temps, cassa une brindille entre ses doigts avant de me dévisager comme s'il me rencontrait pour la première fois. Était-ce la fermeté de ma voix ou mon expression d'extrême détermination ?

— Alors ça y est, pas vrai ? soupçonna-t-il avec une pointe d'amertume. L'Agence t'a embrigadé ? Ce qui est arrivé à mon frère ne t'a pas servi de leçon ?

Je me mordis les lèvres, ne sachant que répondre. J'avais fait mon choix depuis longtemps, un choix irrévocable, mais c'est seulement à cet instant qu'il m'apparut dans toute son importance, dans toute sa gravité.

— J'ai rencontré Leonard Price, confiai-je.

Weyland secoua la tête, accablé.

— Price le Sorcier, le chef de la Branche Spéciale ! Salomon travaillait pour lui et c'est à cause de lui qu'il est mort en laissant une veuve.

— Vous devriez être heureux que j'aie abandonné ma vie de joueur, m'efforçai-je de dédramatiser. Jusqu'ici, je dormais le jour et vivais la nuit. J'allais de ville en ville pour plumer ou me faire plumer. Pour la première fois, j'ai l'impression d'être utile, de donner un sens à ma vie. L'Agence me fait confiance. C'est important pour moi.

— Le vieil Allan Pinkerton fait croire à chacun de ses agents qu'il est indispensable à la bonne marche de son entreprise. C'est là son astuce, sa force. Il s'attire ainsi une loyauté indéfectible, mais il n'est pas ton père, ni ton ami, ne l'oublie jamais. Si tu tombes, il te remplace, sans état d'âme. Et quant à Leonard Price...

— Je n'ai passé aucune des fameuses épreuves dont vous m'aviez parlé : ni le Tribunal des Cagoules, ni le serment sur la Bible Noire, ni le test de la Chambre de la Terreur. Si tant est que ces choses-là existent.

Weyland se mura dans un silence buté. Je compris que je l'avais offensé en mettant sa parole en doute. J'imaginai sans peine quel sentiment il devait éprouver. Après avoir été l'un des fondateurs de l'Agence, il s'en était détourné pour reprendre sa liberté et depuis lui vouait une rancœur sourde. Je savais peu de choses sur les différends qui l'avaient rapidement opposé à Mr. Pinkerton à leurs débuts, sinon que le cynisme de ce dernier ne pouvait s'associer aux grands principes que nourrissaient Mr. Weyland. Et la perte de son frère cadet avait encore creusé le fossé entre eux. Je pensais aussi qu'elle avait obscurci son jugement.

Au bout d'un moment, Weyland se leva et désigna les sommets qui scintillaient dans le soleil de midi au-dessus de nos têtes.

— Dulles passait ses journées à veiller sur une concession là-haut, sans jamais trimer. Curieux pour un prospecteur. Maintenant qu'il n'y est plus, on devrait en profiter pour jeter un œil. Dès que tu seras en état de marcher.

— Je suis prêt, annonçai-je aussitôt.

— On devra faire la route à pied, prévint-il. La pente est trop raide pour un canasson. Seule une mule est assez dégourdie pour passer. Là-haut, c'est encore l'hiver. Les ruisseaux n'ont pas encore dégelé, mais je crois qu'on ne devrait pas regretter la balade.

4. PAS DE PÉPITES !

Weyland n'avait pas menti au sujet du chemin. Notre mule elle-même, croulant sous les lanternes, les pelles et les cordes, peinait sérieusement sur cette étroite saignée qui surplombait la vallée. Au moins, je n'avais pas froid. Les vêtements d'emprunt que Weyland m'avait fournis empestaient, mais ils tenaient chaud. Je n'étais pas grand connaisseur en matière d'or. Toutefois, au fil de l'ascension, je commençai à éprouver de sérieux doutes sur la possibilité de découvrir le moindre filon parmi ces rocailles inhospitalières.

À un moment, Weyland dut s'interrompre pour reprendre son souffle. Depuis notre départ, j'avais remarqué qu'il s'accrochait fréquemment à la queue de notre animal de bât. Je le trouvai moins leste qu'à l'automne. Peut-être avait-il connu des ennuis de santé pendant l'hiver, dont il ne m'avait soufflé mot. À moins que plus simplement, l'âge n'ait commencé à peser sur ses jambes. Nous partageâmes l'eau de la gourde et j'en profitai pour formuler les regrets qui me taraudaient depuis notre conversation.

— Tout à l'heure, je ne voulais pas dire... Au sujet de la Branche Spéciale et de... des épreuves dont vous m'avez parlé. Price nie leur existence, mais je suppose qu'il me teste encore. Je ne sais pas si je les atteindrai un jour. Vous comprenez ?

— Laisse tomber, répliqua Calder. Je suis un vieux bouc. Quand il s'agit de l'Agence, je suis incapable de raisonner. Je me suis souvent disputé avec mon frère Salomon à ce sujet. Quand nous avons eu l'idée de cette agence, Pinkerton et moi, c'était dans un autre but que de donner le jour à une gigantesque entreprise fédérale.

— N'est-ce pas comme cela que les choses fonctionnent ? Quel simple boutiquier ne rêve de monter des succursales aux quatre coins du pays ?

— Tu es jeune. Tu vois les choses autrement, et tu as sans doute raison. Je suis sûrement un doux rêveur. Je devrais suivre les conseils de ma belle-sœur, me trouver un ranch et regarder paître le bétail. Je pourrais toujours admirer les montagnes depuis ma propre véranda.

À sa façon d'évoquer la chose, il était clair qu'il n'y pensait pas une seconde. Je désignai la crête du menton.

— Vous pensez qu'on découvrira quelque chose là-haut ?

Calder essuya la sueur de son front d'un revers de manche, et esquissa un geste sinueux de la main, qui signifiait chez lui l'indécision et la perplexité.

— Tu veux dire, sur les secrets qui entourent la Brigade Pâle ? Je l'ignore. Il doit y avoir une raison précise pour que la Californian Prospect ait acheté ces rocailles et chargé un type comme Dulles de les surveiller.

— Hier soir, il m'a glacé les sangs, avouai-je. Il n'est plus humain, j'en jurerais. Comme s'il y avait une bête en lui...

— La première fois que je les ai affrontés, j'avais la langue aussi sèche que du cuir tanné, évoqua Weyland. Et quand en plus je me suis aperçu que mes balles étaient sans effet sur eux... Quel traitement subissent-ils pour devenir ces êtres effrayants, je n'ai jamais trouvé de réponse claire à cela.

— Vous m'avez parlé une fois d'une sorte de rituel magique...

— Ouaip. C'est mon avis, et c'était aussi celui de mes amis païutes. Seulement, aucun membre de la Brigade n'a jamais répondu au moindre interrogatoire. Et pour cause. Aucun ne s'est jamais laissé capturer vivant.

— Sauf un... Cecil Wardrop.

Mon ami opina du chef.

— Nul n'en a rien tiré. Ce n'est plus qu'un légume.

— Ce qui est sûr, c'est que ces tueurs appartiennent à une espèce singulière... Price pense qu'ils forment désormais une sorte d'agence du crime.

— Je n'en serais pas étonné. Dirigés par des esprits mal intentionnés, ces mercenaires pourraient commettre plus de méfaits qu'ils n'en ont occasionnés pendant la guerre. Ce qui signifierait aussi que la Brigade recrute encore de nouveaux membres.

— J'ai la montre de Dulles, en tout cas, fis-je en brandissant mon trophée sous le soleil. J'ai eu le temps de la lui arracher.

— Tu aurais dû la briser en mille morceaux, conseilla mon compagnon, comme je te l'ai montré. C'est le plus sûr moyen de ne pas voir ces types revenir te tirer par les doigts de pieds par une nuit sans lune.

— J'y ai pensé, mais j'ai l'impression qu'elle pourrait m'être utile. Elle indique trois heures dix, comme les autres.

Je la tendis à Weyland qui s'en assura en ouvrant le couvercle.

— Tu cours un risque, commenta-t-il. Chaque fois que j'ai descendu l'une de ces canailles, j'ai toujours pris soin de détruire sa montre. Quelque chose les relie à ces breloques sans valeur. C'est comme... comme détruire leur âme. Du moins, je crois.

— Vous pensez vraiment que je devrais casser celle-ci ?

— À toi de voir. Si Dulles est encore en vie, j'ignore l'effet que cela produira sur lui. S'il est mort...

Il me rendit l'objet, que je choisis de glisser dans ma poche intérieure. Je n'avais jamais possédé de montre, et je trouvais que celle-ci m'allait à la perfection, même si elle ne m'était d'aucune utilité pour savoir l'heure. Weyland trouva la force de repartir. Au bout d'un moment, alors qu'il s'interrompait à nouveau pour reprendre son souffle, je lui lançai :

— Vous devriez m'attendre ici. Je trouverai bien la concession tout seul.

— Qui couvrira tes arrières, Pink ? répliqua-t-il. Et puis je ne suis pas le vieux débris que tu imagines. Tu serais étonné de ce dont je suis encore capable. Au fait, et tes autres compagnons, que sont-ils devenus ? Cet Indien Navajo, Armando... Et la petite maigrichonne, c'était comment son nom...

— Elly Aymes, me remémorai-je. L'Agence m'a ordonné de les arrêter aussi. Je ne pensais pas qu'elle leur accordait autant de valeur. Je suis dans de beaux draps. Je ne sais même pas où les trouver.

— Si l'Agence tient à les récupérer, c'est qu'ils possèdent un talent particulier. Comme toi.

Sans doute aurait-il approfondi sa pensée si à cet instant précis un panache de fumée ne s'était élevé au-dessus de la cime des arbres.

— Oh oh, fit Weyland.

Il détacha sa carabine Winchester du chargement de la mule.

— Des prospecteurs ? suggérai-je.

— Assez stupides pour indiquer leur présence en plein territoire indien ? Non, ça, ce sont ces fichus Pomos. Manquerait plus qu'on tombe sur eux.

Nous parvînmes au sommet de l'épaulement sans avoir vu âme qui vive, pour nous trouver face à l'entrée d'une grotte naturelle. Un panneau de bois fraîchement peint, planté de guingois à proximité indiquait que nous avions atteint notre but :

CONCESSION MINIÈRE N° 2875, PROPRIÉTÉ
DE CALIFORNIAN PROSPECT. DÉFENSE D'ENTRER.

À l'appui de cet avertissement, une barrière de fil barbelé avait été tendue à l'entrée. Weyland eut tôt fait d'en venir à bout avec la pince coupante qu'il ne manquait jamais d'emporter dans toutes ses expéditions. Il avait ces nouvelles clôtures en horreur.

Sur le seuil de cette fissure qui balafrait le flanc de la montagne, nous eûmes une hésitation. Hors la présence de l'écriteau, l'endroit aurait pu sembler inviolé. En d'autres temps, il avait probablement servi d'abri hivernal à un ours. Quant à imaginer qu'il recelait un filon d'or...

Weyland attacha notre bête de somme, enroula les cordes sur son épaule, et pénétra dans l'antre en tenant la lampe au-dessus de sa tête. Notre première surprise vint de ce que la voûte était couverte de peintures d'argile primitives qui mettaient en scène une créature au faciès hideux. Weyland émit un petit sifflement.

— J'en étais sûr, confia-t-il. C'est une sorte de temple dédié à Kuksu, le Grand Esprit des Pomos.

Kuksu le Guérisseur. Kuksu le Maître des Morts. Et voici son assistant, Gilak, le Nain Malveillant... Quand j'étais chez les Païutes, j'ai eu de longues conversations avec Poisson-qui-file-sous-la-pierre. Il n'apprécie pas plus les Pomos que les serpents à sonnette, mais il leur accordait un mérite, celui d'avoir percé mieux que d'autres tribus les mystères du monde des dieux. Kuksu est un esprit puissant, capable de s'incarner en animal...

Cette explication ne fut pas pour me rassurer. Plusieurs galeries prenaient naissance dans cette première salle pour s'égarer dans de multiples directions. Elles devaient courir sous la montagne sur des kilomètres. J'en choisis une, non au hasard, mais parce que je crus déceler des traces de pas dans la poussière. Nous ne tardâmes pas à déboucher dans une deuxième grotte. Je relevai au centre les traces d'un foyer récent. Une couverture roulée en boule sur le côté acheva de me convaincre que Dulles avait bien passé l'hiver ici, à veiller sur cet endroit, à l'abri des recherches. Qui aurait soupçonné sa présence en un tel lieu, au cœur d'un territoire indien hostile ?

— Que je m'étouffe avec une queue d'opossum s'il cherchait de l'or ici, nota Weyland. Pas une pioche, pas un wagonnet, rien... Et pas de pépites !

— On dirait qu'il montait simplement la garde.

— Pour préserver quoi, bonté divine ? Un sanctuaire indien ? En toute impunité, avec la bénédiction des Pomos ? À quoi ça rime ?

— Si cette compagnie minière de San Francisco a acquis ce trou solitaire, c'est probablement qu'il recèle quelque chose de valeur.

— Pas ces fresques ancestrales, à coup sûr, grommela l'ancien pisteur.

Alors que je tournais sur moi-même, j'eus la sensation déplaisante qu'un courant d'air me glaçait le cou. Il provenait d'une faille quasiment indécelable qui lézardait le fond de la caverne. En contrebas, un escalier taillé dans la pierre glissait dans le noir. Cette œuvre d'homme semblait récente, à en juger par les arêtes bien nettes des degrés. J'alertai mon compagnon de cette trouvaille.

— Tu... sens quelque chose ? me demanda-t-il sur un ton entendu.

Je compris le sens particulier de sa question, mais je secouai la tête. Je n'éprouvais rien d'autre que la crainte naturelle d'un être humain devant l'inconnu, et aussi une curieuse excitation qui me poussait à la surmonter.

— Vous pouvez m'attendre ici. Je vais simplement vérifier où cela mène.

— Tu parles, oui ! Tu n'es pas capable de te moucher sans mon aide, et je te laisserais filer en bas ?

— Vous êtes un vrai père pour moi, Calder.

Je retins un commentaire moqueur sur la possibilité qu'il répugnait peut-être à rester seul, mais je ne voulus pas blesser sa susceptibilité. Une dizaine de marches plus bas, nous découvrîmes une salle plus petite dont le centre était occupé par un puits qui semblait plonger dans les entrailles de la montagne. Je me penchai avec précaution au-dessus de l'ouverture. Le courant d'air que j'avais ressenti venait de là. Weyland risqua un œil à son tour et afficha une moue.

— Ça ne me dirait rien de descendre, là-dedans, avoua-t-il.

Puis il ajouta tout de go :

— Toi, vas-y, tu es jeune et souple.

— Je... Quoi ? Moi ?

Mon compagnon prit une pièce de monnaie dans sa poche et la jeta par l'orifice avant de prêter l'oreille. Nous eûmes l'impression qu'elle avait atterri sur quelque chose de mou.

— Pas si profond, décréta Weyland. Une dizaine de mètres au plus. J'attache la corde. Après toi !

— Attendez, rien n'indique que ce passage ait à voir avec ce que nous recherchons. Et d'ailleurs, qu'est-ce que nous recherchons ?

— Si notre gaillard n'en avait pas après l'or mais restait planté ici nuit et jour, c'est qu'il surveillait ce fichu puits. Tu vois autre chose digne d'intérêt ? Ne te dégonfle pas. Tu es un Pinkerton, non ? Alors, ne l'oublie pas.

J'allais rétorquer que mon mandat n'allait pas jusqu'à risquer ma vie au fond d'un gouffre, mais déjà Weyland m'entourait le corps du lasso, en fixait l'extrémité à un piton rocheux, et me confiait la lampe. Je mis de côté ma réprobation et entamai la descente. Toutefois, avant de disparaître, je tins à en avoir le cœur net.

— Je me suis juré de ne plus jamais retourner sous terre, vous savez ? Pas de blague, vous serez capable de me remonter si ça tourne mal ?

— Dis-toi bien que j'ai des muscles en nerfs de bœuf sous ma chemise... Si tu y penses, récupère ma pièce, veux-tu ?

J'essuyai la sueur qui perlait sous mon chapeau et me laissai glisser le long de la paroi humide. Un coup d'œil en bas m'inspira le sentiment qu'il y grouillait une vie immonde, et plus que jamais, je me demandai ce que je fabriquais si loin de la civilisation, raclant mes genoux sur une roche que nul n'avait probablement admirée depuis les temps préhistoriques.

La satisfaction de trouver un sol ferme sous mes semelles fut indescriptible... et vite tempérée par la noria de fines araignées à longues pattes qui, brutalement paniquées par mon irruption, se dispersèrent en grand désordre dans les fissures alentour. Leur reflux immonde mit au jour un bien étrange pensionnaire, qui m'offrit un sourire des plus lugubres dans le faisceau de ma lampe : un squelette humain gisait là, étendu sur le côté, encore vêtu de quelques lambeaux putrides. Son chapeau couvrait encore son crâne cerclé de cheveux gris.

— Weyland ? J'ai un cadavre, ici !

Le visage de mon compagnon se découpa dans le cercle de lumière au-dessus de ma tête.

— Vieux de combien ?

Sa voix m'arrivait comme s'il se trouvait à des centaines de mètres, et j'eus l'impression de devoir crier pour me faire entendre :

— A priori, je dirais six... huit mois. Peut-être plus.

— Il a une montre ?

Le premier mouvement de stupeur passé, j'entrepris d'inspecter cette pauvre dépouille – non sans avoir chassé quelques « longues pattes » récalcitrantes qui logeaient sous les haillons. Je notai l'angle bizarre de la tête avec le reste du corps. Le malheureux avait dû faire une mauvaise chute et il s'était sans aucun doute brisé la nuque. Quel infortuné destin l'avait conduit dans cet endroit ? À première vue, je pariai pour un chercheur d'or, qui s'était peut-être aventuré ici par curiosité ou appât du gain. Pourtant, quand j'inspectai le contenu de ses poches, j'en retirai un équipement très inhabituel pour un prospecteur : une antique boussole reliée par un lacet de cuir, quelques crayons et par-dessus tout un cahier moisi à la couverture brune en mauvais état, sur lequel s'inscrivait cette phrase : « J'appartiens au professeur Anton Driscoll. Prière de me rapporter à mon propriétaire. »

— Non, pas de montre, attestai-je.

N'ayant aucune envie de moisir dans ce trou, je fourrai le cahier sous ma ceinture sans me préoccuper de son contenu. Alors que je me redressais, une fresque se révéla dans la lumière de ma lampe, plus grandiose que toutes celles figurant dans la première salle. Je restai bouche bée devant cette représentation primitive, peinte comme les autres à l'aide de pigments d'argile, d'une créature ailée, non moins hideuse que les précédentes. Sa tête évoquait le monstre Kuksu avec lequel j'avais fait connaissance plus haut. Ses élytres déployés formaient un dessin complexe, et des barbes acérées en bordaient les contours. Le plus effrayant était sans doute sa tête, sorte de masque répugnant, dont la simple vue donnait le frisson.

Comme je trouvais enfin le courage de l'effleurer de mes doigts, j'entendis brusquement un grondement qui emplissait le silence de la caverne.

— Weyland ? C'est quoi ce bruit ?

Je doutai qu'il ait pu m'entendre tant ce son s'amplifiait de façon assourdissante. Les vibrations devinrent si intenses qu'elles détachèrent des morceaux de voûte, dont je dus m'abriter en me réfugiant sous une saillie. Il me sembla que le phénomène durait une éternité. Quand il décrut enfin, que les débris cessèrent de ricocher autour de moi, je me risquai hors de mon refuge en chassant la poussière qui voletait encore dans les airs.

— Weyland ? Vous êtes là ? Qu'est-ce qui s'est passé ?

Le silence seul me répondit. Je sentis ma gorge se serrer. Je tirai sur la corde qui m'enserrait la taille, espérant obtenir une réaction à l'autre bout... Elle tomba mollement à mes pieds.

Dire que je m'étais juré de ne plus descendre sous terre...

5. CE QUE DURENT LES LAMPES

Après la douloureuse expérience des catacombes de la passe Crèvecœur, j'avais conçu une profonde répulsion pour les souterrains. Et voilà que j'étais à nouveau prisonnier d'un puits perdu en pleine montagne... Je m'interrogeais autant sur mon sort que sur celui qu'avait pu subir Calder Weyland. Que lui était-il arrivé pour qu'il ne vienne pas à mon secours ? Quel était le bruit terrifiant que j'avais entendu ? Je me rongeais les sangs en retournant ces questions dans ma tête. D'abord, je devais m'extraire de ce piège et retrouver la surface. J'avais un avantage sur le malheureux squelette à mes pieds : lui n'avait probablement pas eu le loisir d'y penser. Qui étiez-vous, professeur Driscoll ? Que cherchiez-vous dans cet endroit oublié du monde ?

J'élevai ma lanterne vacillante pour chercher avidement un passage. Je notai une marque régulière dans la poussière, au bas de la fresque du monstre ailé. Un espoir se fit jour en moi. Surmontant un certain dégoût, je palpai cette représentation, et finis par découvrir sous mes pouces deux clapets mobiles savamment dissimulés sous la croûte d'argile. Un mécanisme d'ouverture insoupçonné débloqua le pan de mur tout entier, qui pivota juste assez pour que je puisse me glisser par l'interstice.

Une nouvelle salle de grande dimension s'ouvrit devant moi, aux parois couvertes me sembla-t-il d'éclats de céramique pourpre, qui à l'approche de la lumière s'irisait d'une myriade de ravissants reflets. Des figures anciennes, assez semblables à celles que nous avions découvertes dans l'entrée, tapissaient le sol. Elles dépeignaient des scènes des Indiens prosternés devant le dieu Kuksu et son malfaisant fidèle Gilak. Je n'avais pas le savoir inépuisable de Weyland au sujet des Pomos, mais je fus intimement persuadé d'avoir mis au jour une sorte de sanctuaire aménagé par la main de l'homme et non le patient labeur de la Nature. Comment douter un instant que c'était ce lieu vers lequel tendait l'infortuné professeur Driscoll ? Une odeur douceâtre et indéterminée flottait dans l'air, comme si de l'encens ou quelque autre herbe puissante avait été brûlée ici.

M'étais-je enfoncé plus profondément sous terre pour aboutir à un nouveau cul-de-sac ? Non. Un minuscule escalier, probablement plus ancien encore que les fresques, apparut dans le faisceau de ma lampe. Je m'engageai dans ses lacets escarpés. Allais-je me perdre dans un nouveau labyrinthe ? Un rayon de lumière m'apporta une réponse inespérée. Je me mis à le suivre en courant, le cœur battant, pour découvrir une ouverture masquée par un éboulis naturel.

Je dégageai fébrilement les blocs de pierraille et achevai de m'extraire avec la dernière énergie, pour rouler sur le dos, sans me soucier de ce que ma lanterne venait juste de s'éteindre. Je la jetai au loin avec un éclat de rire et respirai à pleins poumons. J'avais retrouvé l'air libre, et la clarté du jour ! Cette fois, j'en fis le serment : personne ne me ferait plus jamais descendre dans une mine ou quelque trou que ce soit.

Je restai un temps à reprendre mon souffle. L'angoisse autant que l'effort physique avaient asséché ma bouche. Je pris un peu de neige dans le creux de la main pour étancher ma soif, et c'est alors que je les vis, tout autour de moi. Ils m'observaient avec curiosité, appuyés sur des lances : des Pomos, au nombre d'une douzaine. Je le devinai d'après la description que m'en avait faite Weyland : la peau très sombre, portant des parements de coquillages au-dessus de leurs vêtements rugueux... Il n'y avait malheureusement pas à se tromper.

Je me redressai lentement, bras et jambes écartés pour signifier mes intentions pacifiques. Je n'étais pas en position de force et n'avais pour alternative que de les convaincre de mon caractère inoffensif. Je pouvais difficilement faire croire que j'étais ici par hasard. Jusqu'alors en retrait, une femme de haute taille, presque une géante, fendit les rangs de ses congénères. Elle portait une redingote d'homme blanc et un chapeau melon dont je préférais ne pas imaginer par quel moyen ils étaient venus en sa possession. Sa laideur me fit froid dans le dos. Ce n'était pas tant son faciès épaté piqué d'un gros furoncle, avec sa bouche trop large et ses petits yeux noirs renfoncés sous les bourrelets de ses paupières, que cette expression de cruauté froide, d'indifférence à la vie d'autrui, qu'elle affichait sans équivoque. Elle portait des colifichets autour du cou, parmi lesquels je remarquai une sorte de sifflet en os orné de plumes.

Quand elle se pencha vers moi pour m'examiner, ainsi qu'on examine une pièce de bœuf à l'étal, je sus que je n'aurais aucune pitié à attendre d'elle si par malchance ma bonne mine n'attirait pas sa clémence. À mon grand étonnement, elle me fouilla méthodiquement jusqu'à tomber sur la montre logée dans la poche de mon gilet. Elle tira sur la chaîne, ouvrit le couvercle, considéra la direction des aiguilles par rapport à la position du soleil, et, après un temps, me la rendit avec une expression intriguée. Elle cessa de me palper et marmonna une remarque dans son dialecte qui fit ricaner ses compagnons. Elle me prenait pour un membre de la Brigade Pâle, et cette méprise me sauvait probablement la vie. Comme je remerciai l'inspiration qui m'avait fait conserver mon trophée !

— Je cherche mon ami, osai-je m'enquérir alors, un vieux Blanc, avec des cheveux gris...

Elle fit comme si elle ne m'avait pas entendu, et sans un regard s'en retourna vers les siens. Un battement de cils et les Pomos avaient disparu du paysage comme des mirages.

6. VIEILLE RENGAINE

Sitôt que j'arrivai à mouvoir mes jambes tremblantes, je n'eus qu'une seule idée en tête : retrouver Weyland. Malheureusement, j'eus beau fouiller les parages en hélant son nom, seul l'écho sinistre des Monts Klamath me répondit. Je rejoignis l'entrée de la concession minière. Notre mule n'avait pas attendu son reste, elle avait pris la fuite avec le reste du matériel sur son dos. Je m'agenouillai pour scruter le sol boueux. Hélas, j'étais un jeune gars de la ville, très ignorant de l'art des pisteurs, et je fus incapable de déchiffrer grand-chose sur le sol retourné, sinon qu'un souffle prodigieux avait soulevé la poussière alentour et brisé quelques branches de sapins... Quant à ce qui avait provoqué cet ouragan très localisé, je n'en avais pas la moindre idée, mais, ajouté à la présence des Pomos, cela n'augurait rien de bon du sort de mon ami.

C'est la mort dans l'âme que je redescendis le soir venu à la cabane. Je la trouvai malheureusement déserte et la porte béante. Mon dernier espoir s'évanouissait. Rompu par la fatigue et les émotions, je m'écroulai sur le lit.

À mon réveil, le soleil était déjà haut. Toute la journée, j'arpentai Trader Camp pour interroger les prospecteurs. Avaient-ils aperçu Calder Weyland ? Que savaient-ils au sujet de la concession de la Californian Prospect, sur la montagne ? Je n'obtins au mieux que des dénégations obstinées, des réponses évasives. Ici, la règle était de ne pas s'occuper des affaires des autres. Au « Saloon des Veinards », où j'avais fait si piètre impression à mon arrivée, je parvins toutefois à tirer quelques mots du tenancier à l'accent germanique qui s'ennuyait en attendant l'heure d'affluence.

— Le fieux Calder ? Non, je ne l'ai bas vu. Il ne bient pas souvent ici. Il est discret. Il aibe sa dranquillité. Disbaru, tu dis ? Mon gars, ça arrife souvent bar ici. Les gens bont et biennent. Je regrette bour Veyland. C'était un brave dype. Pas gros buveur, mais un sage, à sa vazon.

Un mineur désœuvré, entendant la conversation, se rapprocha en se frictionnant la barbe. Je repérai le parasite en quête d'un coup à boire.

— Moi, j'ai mon idée là-dessus, fit-il. Mais tamiser la rivière, ça donne drôlement soif !

Je sortis un dollar, que cet énergumène transforma aussitôt en une bouteille de whisky.

— Voulez mon avis ? glissa-t-il après en avoir vidé la moitié. Ce sont ces satanés Pomos qui ont fait le coup... Nous sommes sur leur territoire. Les premiers pionniers ont dû les chasser à coups de fusil. C'est des coriaces. Vaut mieux ne jamais croiser leur route. À ta place, Pinkerton, je mettrai une croix sur ton ami.

— Il y a un télégraphe, ici ?

— Un télégraphe ? s'esclaffa le soiffard. Le premier poste est à Redding, dans la vallée. Bon courage.

Le cœur lourd, je suivis son avis et deux jours après, j'arrivais dans la petite ville de Redding, sur la route de San Francisco. En ce temps, ce n'était pas la cité prospère que l'on connaît aujourd'hui, mais un bourg pittoresque aux habitations en rondins qui avaient poussé en hâte autour du lac. Une population très diverse se croisait ici, mélange de chercheurs d'or en manque de veine, d'ouvriers au chômage, et d'une très forte représentation de crapules en tous genres. Je me rendis immédiatement au bureau du télégraphe pour alerter l'Agence à Chicago de la mauvaise tournure qu'avait prise mon enquête.

Je n'étais pas agent depuis bien longtemps, mais si j'avais appris une chose, c'est qu'en aucune façon il ne fallait maquiller la réalité à l'Agence. Aussi mon télégramme pour Leonard Price, chef de la Branche Spéciale, fut-il long, détaillé mais sans fioritures, et me coûta autant de courage que de dollars. Je ne ramenais ni Angus Dulles, ni aucun de mes anciens acolytes, et quant au mystère qui entourait la concession dans la montagne, je n'avais aucune certitude, sinon qu'un malheureux professeur y avait trouvé la mort sans que je puisse déterminer s'il s'agissait d'un accident ou d'un meurtre.

En attendant la réponse, je m'assis dans un coin du minuscule bureau en bois, sous le regard du vieux préposé moustachu qui, sans doute impressionné par mon insigne de détective, ne cessa de m'adresser force sourires durant tout ce temps. La réponse de Leonard Price m'arriva à la nuit tombée.

« Bureau de San Francisco attend votre arrivée. Stop. Contacter professeur Larrymore. Stop. Enquêter sur Californian Prospect. Stop. »

Qui était ce Larrymore ? En quoi était-il lié à cette affaire ? Le voyage attendrait demain. Fourbu et accablé par la perte de mon ami Weyland, je n'étais guère en état de reprendre la route. Je réservai un billet à bord de la première diligence pour San Francisco et décidai de me changer les idées.

Comment passer une soirée agréable à Redding, repaire de cow-boys, de vagabonds, et de prospecteurs en manque de filon, pour oublier ses soucis ? Je posai d'abord mes affaires dans un hôtel propret qui offrait toutefois assez peu de commodités à l'exception d'un baquet d'eau chaude mis gracieusement à ma disposition. Je fis mes ablutions, changeai de chemise, de cravate, et après avoir soigneusement brossé mon cher et unique costume rayé, consentis à paraître de nouveau dans le monde.

Je musardai d'abord dans les rues. J'avais besoin de retrouver la société des hommes ordinaires, le bruit des conversations et des rires. Puis je m'offris un copieux dîner dans un saloon bien rempli. Un steak et une bière me remirent d'aplomb. J'en profitai pour feuilleter le cahier moisi découvert sur le cadavre du puits. Je l'avais soigneusement conservé dans ma poche sans avoir eu le temps, ni l'envie, de connaître son contenu, estimant qu'il était par trop éloigné de mes préoccupations du moment.

Je fus surpris de découvrir de splendides croquis de papillons, tracés au fusain avec une précision presque photographique. Outre le plaisir inattendu que je pris à feuilleter cet album, je fus frappé par la similitude des spécimens qu'Anton Driscoll avait croqués avec tant de talent. Tous étaient similaires, de même proportion, à ceci près que les taches sur leurs ailes offraient à chaque fois de légères variantes. Je leur trouvai une certaine ressemblance avec la fresque maléfique que j'avais découverte sur les parois du puits.

Aucune annotation ne vint malheureusement m'aider à comprendre l'intérêt de l'artiste pour cette espèce particulière de lépidoptères. Ce professeur Larrymore évoqué par le télégramme était sans doute la clé pour déchiffrer ce mystère...

Non loin de moi, des joueurs de poker jetaient leurs premiers dollars sur le tapis vert... Je fus démangé par l'envie de tirer une chaise et me joindre à eux. Voilà bien longtemps que je n'avais touché des cartes, et l'envie me démangeait. Hélas, les règles de vie d'un agent Pinkerton étaient strictes : ni jeux, ni paris. D'autant que j'attirais déjà l'attention : à la dérobée, des cow-boys me jetaient des regards intrigués. Soit j'étais trop bien vêtu, avec mon costume, mon chapeau de ville et mes belles manières, soit le préposé du télégraphe – faisant fi de son devoir de confidentialité – avait vendu la mèche de ma présence.

Je crois qu'il n'y a guère que les chasseurs de prime que l'on côtoie avec si peu de respect et je comprenais pourquoi les agents Pinkerton manifestaient toujours une certaine arrogance dans leur comportement. C'était leur façon à eux de se défendre contre le mépris dont ils étaient l'objet au quotidien. Je me surpris à imiter cette morgue dédaigneuse, moi aussi. Après tout, ces gens me craignaient autant qu'ils me détestaient, et en cas de coup dur ils ne seraient que trop heureux de me compter à leur côté.

Alors que je plongeais mon nez dans mon bock de bière, des acclamations surexcitées fusèrent. Une petite scène avait été aménagée au fond de la salle, simple estrade jusqu'alors dissimulée derrière un rideau bleu tiré sur un fil. Un décor peint, d'une triste naïveté, apparut, représentant les plaines du Far West, avec ses bisons et ses indiens. Une fille vêtue en cow-boy, outrageusement maquillée comme une poupée, se mit à chanter au son hésitant d'un piano. C'était le genre de spectacle vulgaire qui avait le don de me déprimer et je décidai de me retirer quand l'artiste entonna d'une voix aguicheuse :

— *Darling, what's wrong with you !*

What kind of man are you...

La chanson me cloua sur place. Ma Chanson. Et qui donc la chantait avec cet abattage communicatif, faisant voler les chapeaux et les cigares dans la salle ? J'en frissonnai de la tête aux pieds. J'aurais reconnu cette voix entre mille. Tel un automate, je jouai des épaules pour me rapprocher au plus près.

Elly. Elly Aymes.

Mon grand amour.

La chanson achevée, ma beauté maigrichonne disparut derrière le décor de pacotille et je l'y rejoignis, non sans avoir écarté de ma route quelques prétendants ivres grâce à mon insigne officiel. La jeune artiste se hâtait de remettre les mèches bouclées de sa coiffure devant un miroir que lui tendait une sorte d'impresario à la manque quand je lui touchai l'épaule. Elle m'examina avec un étonnement mêlé d'embarras :

— Par exemple ! Galore ! Je te croyais à Chicago...

— Moi, je te croyais à San Francisco.

— C'est une longue histoire et je n'ai pas le temps ! Les bouseux me réclament, t'entends ? Comment tu m'as retrouvée ?

— Tu es en état d'arrestation, mais ça peut attendre.

— Comment ça en état d'arrestation, s'égosilla le mécène à moustaches qui jusqu'alors s'était contenté de manifester discrètement son agacement. Vous n'y pensez pas ? Et qui êtes-vous pour...

— Je vous conseille de rester en dehors de ça, monsieur, le prévins-je. Je suis un agent Pinkerton, chargé de démasquer les profiteurs dans votre genre. Vous tenez un livre de comptes ? Imaginez que j'y jette un coup d'œil ?

Je vis bien que cette révélation mettait à mal les grands projets d'avenir que le bonhomme fondait dans sa nouvelle artiste. Il saisit son chapeau et disparut par la porte de derrière. Elly essaya de rattraper son bienfaiteur.

— Ne l'écoutez pas, Mr. Minniver. C'est un menteur. Il n'est pas plus un Pinkerton que je ne suis...

— Une chanteuse, achevai-je. C'est une agente infiltrée. Vous auriez dû vous méfier.

Pris de panique, Mr. Minniver détala comme un lapin. Je vis bien qu'Elly avait une grande envie de m'envoyer son poing en pleine figure, mais elle se contenta de me menacer de l'index.

— Oh, toi, je vais t'ouvrir le crâne dès que j'en aurai l'occasion.

— Je t'attends ici, Elly. Va faire tes adieux au public.

Comme si de rien n'était, elle céda aux rappels de la salle en délire et j'attendis patiemment qu'elle eût enchanté les hommes de Redding avec deux autres chansons. Quand elle revint enfin, arrachant sa perruque et ses fards avec dépit, elle semblait porter le poids du monde sur les épaules.

— Denver ! se lamenta-t-elle. Je devais me produire à Denver, et tu as tout fait rater. Est-ce que tu imagines le mal que je me suis donné pour trouver cet engagement ? Tu crois que les cabarets engagent des filles à la pelle ?

— Navré, Elly, mais en parlant d'engagement, tu en avais signé un avec l'Agence que tu sembles avoir oublié. Je ne plaisante pas.

— Je n'ai rien à voir avec cette clique de détectives.

— À Salt Lake, tu étais ravie de signer.

— Salt Lake, c'était Salt Lake, dans une autre vie. J'avais faim et j'aurais signé n'importe quoi en échange de quoi me remplir la panse.

— Elly, Elly, soupirai-je.

— Et ne prends pas cet air de bon Samaritain avec moi, je sais le genre de gars que tu es.

— C'est sûr, tu m'as percé à jour. En attendant, tu t'amènes.

Elle acheva de se démaquiller rageusement, fourra son costume de scène au fond d'un sac informe et s'habilla d'un chemisier gris flottant et d'une robe qui avait sûrement connu pas mal de routes. Ses cheveux relevés en chignon, lavée de son maquillage criard, elle était délicieuse à croquer, et je sentis ma vieille flamme se rallumer instantanément.

— Elly... soupirai-je à nouveau. Tu m'en veux sûrement, mais dis-toi que je n'ai pas le choix. Viens, je t'emmène dîner, en souvenir du bon vieux temps.

— Tu me passes les menottes avant ou après le dessert ? railla-t-elle en prenant la porte.

7. DANS LE DROIT CHEMIN

Elly n'avait jamais résisté à la perspective d'un bon repas. En dépit des griefs qu'elle avait contre moi, elle se laissa conduire au restaurant. Ayant déjà mangé, je me contentai de l'observer enfourner une côte de bœuf taillée pour un homme dans la force de l'âge ainsi que sa garniture de pommes de terre. Aussi frêle qu'un pinson, telle était Elly, mais douée d'un incroyable appétit. Quand elle fut rassasiée, eut lampé un whisky sec, elle entreprit de se curer les dents avec ce manque d'éducation qui faisait partie de son charme sauvage.

— Qu'est-ce que tu es revenu faire dans cette partie du monde, Galore ? demanda-t-elle d'un ton détaché, comme si la réponse n'avait au fond pas la moindre importance. Ne me dis pas que tu courais uniquement après moi ?

Je devinai à sa voix qu'après mûre réflexion elle avait décidé de changer de stratégie.

— C'est une longue histoire. Je suis à Redding par hasard, mais tu fais partie de ma mission.

Elle connaissait mes sentiments à son égard, sans leur avoir jamais accordé le moindre intérêt. J'aimais sans être aimé en retour, situation douloureuse, ce qui mettait à rude épreuve ma force de caractère et mon entêtement naturel. Elly rapprocha son visage du mien, me caressa le dos de la main avec le bout de son doigt.

— Si tu disais au vieux Pinkerton que tu ne m'as pas retrouvée ? Nous sommes proches, tous les deux, même un peu plus, non ?

— Arrête ça. Tu n'es plus sur scène, Elly.

Vexée, elle se rétracta comme un serpent d'eau.

— L'Agence m'a demandé de vous retrouver, Armando et toi, enchaînai-je. J'ai un mandat d'arrêt contre vous deux.

— Ne me fais pas rire ! plaisanta-t-elle. Le papier que le vieux Pinkerton nous a fait signer à Salt Lake, Armando et moi, ne vaut pas un radis. Et puis je te rappelle que nous avons déjà suffisamment rendu service à l'Agence. Tout ça, c'est du passé. Terminé.

— Mr. Pinkerton et son associé, Mr. Price, ont un autre point de vue.

— Sans blague ? Ils vont m'arrêter pour quel délit ? Claquettes et cancan ?

— Désertion. Elly, tu as touché l'argent de ton engagement. Ils ont ta signature et celle d'Armando. L'Agence ne vous lâchera pas. Elle possède des bureaux aux quatre coins du pays. Si je t'ai trouvée, d'autres le pourront aussi et ils seront moins amicaux. Il n'y a qu'une issue...

— On en vient à ta proposition, pas vrai ?

— Je suis sur une nouvelle enquête pour laquelle j'ai besoin d'aide. Je peux envoyer un télégramme pour informer Chicago que tu es à mes côtés. Cela les fera peut-être réfléchir sur l'opportunité de t'envoyer en prison. Idem pour Armando si tu m'indiques l'endroit où il se trouve.

Je marquai un silence pour lui permettre de méditer sur l'idée de tomber un jour face à face avec d'autres agents Pinkerton, ou des chasseurs de prime, moins enclins à se laisser séduire par son charme rebelle. De ceux qui ne voyagent jamais sans une corde pour pendre les fugitifs. Comme elle restait silencieuse, je décidai de m'y prendre autrement :

— Qu'est-ce qui n'a pas marché avec Armando ? Vous étiez supposés vous installer à San Francisco, tous les deux, non ?

— Nous n'étions pas ensemble.

— D'accord. Vous étiez séparément ensemble, c'est ça ?

— Un peu tard pour être jaloux. Je t'avais demandé de venir avec nous, non ? C'est toi qui as refusé pour aller manger dans la main du vieux Pinkerton à Chicago. Chicago, dis-moi un peu ! Qu'y a-t-il de si formidable à Chicago ?

— Un sens que j'ai envie de donner à ma vie. Tout à l'heure, ta première chanson... *Something's wrong with you...* Comment l'as-tu apprise ?

— Une chanteuse à San Francisco avec laquelle j'ai travaillé cet hiver. En quoi ça t'intéresse ?

— Tu connais le nom de cette femme ?

— Daisy Montel. C'est tout ce que je sais d'elle. Un nom de scène si tu veux mon avis.

Cette fois, le silence que j'observai n'était nullement un calcul d'interrogatoire. Je n'avais aucune nouvelle de ma mère depuis l'âge de six ans, depuis un certain matin à Saint-Louis, où j'avais compris pour la première fois de ma vie le sens réel du mot « abandon »... Était-il possible que le hasard... Je plongeai mon regard dans celui d'Elly.

— Je dois aller à San Francisco pour ma mission. Viens avec moi. Et si tu sais où se trouve Armando, c'est le moment de me le dire. Il l'ignore encore mais il vient avec nous.

Elly se renversa sur sa chaise avec désinvolture.

— Après tout, je ne lui dois rien. Lui et moi, c'est fini, de toute façon. Il a viré mystique. Un beau matin, il s'est réveillé pour se découvrir indien pour de bon. Il s'est peint la figure, et depuis, il a complètement déraillé. Il adresse des prières à la Terre-Mère, la protectrice du peuple Navajo. Quant à le trouver, rien de plus facile : au coin de la rue.

— Quoi ?

— Il m'a suivie en jurant qu'il ne pouvait pas vivre sans moi. Il voulait m'entraîner dans le Sud, chez les Navajos, sa famille, comme il l'appelle. La vie au grand air, à la mode sauvage, très peu pour moi. Les premiers jours, il faisait le pied de grue devant le saloon dans l'espoir de me convaincre. Il a recommencé à boire comme un trou et, un soir, il y a eu une bagarre. Le shérif l'a bouclé en prison. Et voilà comment il a atterri au coin de la rue.

Je payai le repas et la tirai par le bras.

— Tu pourrais au moins attendre que j'aie fini de manger, non ?

— Tu viens avec moi. Nous allons libérer Armando.

— Ce n'est pas une bonne idée, si tu veux mon avis.

Malgré l'heure tardive, la porte du shérif s'ouvrit sous mes coups de poing répétés. J'eus devant moi un gaillard à moustaches à l'air peu commode, la cinquantaine défraîchie et le pistolet ballant. Il toisa mes beaux habits plus que ma personne, ainsi que la demoiselle revêche qui m'accompagnait, et lança :

— Jeunes gens, si vous avez interrompu mon dîner pour des broutilles, je vous préviens que mes cellules sont bourrées de types qui ne se sont pas lavés depuis des années...

— Agence Pinkerton, annonçai-je en levant mon insigne. J'ai un mandat pour ramener à Chicago un Indien du nom de Demayo.

J'avais choisi un ton autoritaire, et m'étais par avance préparé à batailler ferme pour avoir gain de cause. Or, à ma grande surprise, un sourire ravi s'épanouit sur la figure du représentant de la loi.

— Si vous parlez de ce fou furieux qui se fait passer pour un envoyé des dieux Navajos, je vous le donne bien volontiers. J'ai dû l'enfermer à l'écart.

— Je peux le voir ?

— La demoiselle reste ici, prévint-il. Je ne veux pas provoquer une émeute à l'intérieur. C'est déjà assez compliqué comme ça.

Il n'avait pas menti. Le petit bâtiment en dur qui jouxtait son bureau regorgeait de répugnants personnages qui s'entassaient dans des conditions d'hygiène propres à faire frémir des coyotes. Armando occupait seul une minuscule cellule au bout du couloir. Assis en tailleur à même le sol, les bras tendus vers le ciel, il marmonnait des prières dans un langage inconnu et puissamment rythmé. Devant lui, il avait étalé du sable, sur lequel il avait tracé d'étranges symboles. En entendant le bruit des clés dans la serrure, il s'empressa de les effacer et ferma les yeux.

— Bon courage ! me lança l'homme de loi en se postant dans le couloir. Si vous arrivez à le sortir de là, il est à vous !

Il ne prit même pas la peine de fermer derrière moi et me laissa en compagnie de mon étrange prophète.

Armando avait maigri depuis la dernière fois que je l'avais vu, à Sacramento. Il s'était également laissé pousser les cheveux, qu'il avait ceints d'un bandana noir. Avec sa chemise écarlate et son pantalon de peau brune, aucun doute, il était redevenu un authentique indien.

— Si tu cherches à te brûler la cervelle, conseillai-je d'un ton grinçant, pourquoi ne pas utiliser un bon vieux Colt 45 ? C'est plus rapide et aussi définitif.

Armando souleva une paupière et un sincère étonnement se lut sur son visage.

— Galore ! s'exclama-t-il. Mon ami Neil ! Est-ce que tu les entends ?

— Qui donc ?

— Les murmures du Peuple Saint... Les esprits du soleil et du vent qui habitent cet endroit ? Ils m'avaient déserté depuis si longtemps et voilà qu'ils sont venus me rendre visite... Tu les entends, n'est-ce pas ?

Tout ce que j'entendais, c'étaient les quolibets des ivrognes qui logeaient à côté, mais je ne voulus pas le décevoir.

— Je crois.

— J'ai trouvé ma voie, tu sais. Le vieux Weyland avait raison. J'ai beau avoir été élevé par une famille de pasteurs, je suis bien un Navajo par mon père et par ma mère, et par le souffle de nos dieux qui vit en moi. Seul le sang compte. À partir de maintenant, je ferai tout comme un Navajo, et que mes ancêtres me pardonnent pour avoir oublié qui j'étais.

— Tu ne verras donc pas d'inconvénient à sortir d'ici debout sur tes deux pieds, ainsi que le ferait n'importe quel Navajo raisonnable ?

— Weyland n'est pas avec toi ? s'enquit-il en fronçant les sourcils.

— Le vieux Weyland a eu des ennuis. Il a disparu dans les monts Klamath alors que nous explorions une concession minière.

— Je le sais car j'entends sa voix. Il désire t'avertir. Un grand danger te menace… Dulles… Le traître qui voulait infiltrer l'Agence… Celui qui fait jaillir le feu de ses doigts… Il est en vie. Tu lui as dérobé quelque chose. Il veut le reprendre…

Malgré moi, je m'assurai du regard que nous étions effectivement seuls. Il parlait comme quelqu'un qui répète des paroles qu'on lui murmure à l'oreille.

— Weyland te parle ?

— Il semble très loin. Tu n'es pas parti à sa recherche ?

— Bien sûr que si, mais le coin était infesté d'Indiens Pomos, à qui j'ai échappé de justesse. De toute façon, je n'aurais même pas su quelle direction prendre. Je ne suis pas un pisteur comme toi.

— J'aurais pu retrouver sa trace. Je pourrais retrouver… n'importe quelle trace car la Femme Changeante est avec moi, et aussi les divinités des Mondes Inférieurs, qui m'indiquent la voie à suivre.

Le discours d'Armando me déstabilisait et je comprenais mieux la méfiance qui avait poussé Elly à s'éloigner de lui. Il n'était plus le jeune homme civilisé que j'avais rencontré à Salt Lake City, le jour où nous nous étions engagés à l'Agence. D'où lui tenait-il ce charabia ? D'une chiquenaude, je repoussai mon chapeau melon sur le haut de mon crâne.

— La Femme Changeante saura-t-elle te guider jusque dans la rue ? J'ai besoin de ton aide pour retrouver Weyland et mettre un terme aux agissements de la Brigade Pâle.

Il baissa les yeux et recommença à tracer des symboles dans le sable répandu.

— C'est que... je ne veux pas sortir, Neil.

— Tu as pris goût à la puanteur de ce trou à rats ?

— Si je sors, Elly va m'écorcher vif. Je... Je lui ai fait du tort. Je lui ai fait des promesses que... que je n'ai pas tenues. Je suis navré. Je sais ce que tu éprouvais pour elle. S'il n'est pas trop tard, tu as le champ libre, parole.

— Laisse tomber. Elle me déteste autant que toi. L'ennui, c'est que tu n'as pas le choix, ami Navajo. Vous êtes tous les deux recherchés par l'Agence et je vais te faire la même proposition qu'à elle : demain matin à la première heure, nous partons pour San Francisco en mission officielle. En reconstituant notre équipe, je convaincrai peut-être l'Agence d'abandonner les poursuites contre vous. Tu as le marché en main.

— Je... Je dois réfléchir.

— D'accord, tu as trois secondes. Après, je ne pourrai plus rien pour toi...

Rarement je vis un shérif signer avec autant de bonne grâce un acte d'élargissement. Il nous ouvrit sa porte avec force bourrades dans le dos et paroles aimables... avant de la cadenasser derrière nous. À peine si Armando, tête basse, et Elly, boudeuse, échangèrent un regard. Leur brouille était aussi sérieuse qu'ils me l'avaient décrite chacun de leur côté. Quant aux raisons précises qui l'avaient déclenchée, je préférai ne pas me montrer curieux. Toutefois, mieux valait fixer les règles du jeu d'entrée.

— Écoutez tous les deux, nous allons devoir collaborer, alors je vous conseille de vider votre sac parce qu'à partir de demain, nous aurons d'autres chats à fouetter que des chamailleries d'amoureux. Rendez-vous au départ de la diligence à six heures. Si vous n'y êtes pas, je devrai télégraphier à qui vous savez. Bonsoir.

Elly croisa les bras en levant les yeux au ciel. Armando trempa sa tête dans l'abreuvoir. La partie pour renouer le dialogue n'était pas gagnée.

8. L'AGENCE DE SAN FRANCISCO

À première vue, le bureau de l'Agence Pinkerton à San Francisco ressemblait à n'importe quelle officine de courtage ou de conseil juridique. Logé dans un petit bâtiment en bois à deux étages, sa vitrine discrète et sa porte étroite donnaient au passant une impression de discrétion, d'efficacité, que la célèbre devise « *Nous ne dormons jamais* » gravée sur la plaque à l'entrée venait encore renforcer. La ressemblance s'arrêtait là, car à l'intérieur régnait le bouillonnement d'une salle de presse. Des agents armés entraient et sortaient, fusil sur l'épaule, l'air soupçonneux, déjà concentrés sur les missions qui venaient de leur être assignées. Je remarquai leur extrême jeunesse – non que j'aie été plus âgé qu'eux, mais on se serait attendu à ce que ce poste avancé de la civilisation fût défendu par des hommes d'expérience.

Je trouvai le chef de cette escouade au fond d'une petite pièce poussiéreuse, disparaissant presque derrière une montagne de dossiers en souffrance. Là encore, je fus surpris de découvrir un novice d'à peine vingt-trois ou vingt-quatre ans. Notre proximité d'âge fut pour beaucoup dans la sympathie réciproque qui nous rapprocha au premier coup d'œil et ne se démentit jamais par la suite. Gideon Cross était de taille modeste, assez étroit d'épaules, et cependant il dégageait d'emblée une prodigieuse énergie. En bras de chemise, un crayon sur l'oreille, il donnait l'impression de maîtriser le désordre ambiant avec la maestria d'un chef d'orchestre. À sa façon d'ouvrir les documents pour les annoter, de déchiffrer les télégrammes qui ne cessaient d'affluer, il était clair qu'il possédait un sens inné de l'organisation. Il se présenta en me tendant une main chaleureuse – sans pour autant interrompre sa tâche.

— Officier Cross. Je parie que vous êtes le gars de Chicago, l'émissaire de la Branche Spéciale... Ce sont vos adjoints ?

Armando et Elly qui se tenaient derrière moi. Ils avaient finalement accepté ma proposition. Avaient-ils eu le choix, au demeurant. Ils ne s'étaient pas adressé la parole de tout le voyage, ce qui m'avait donné tout le loisir de leur expliquer les événements qui s'étaient déroulés à Trader Camp et les raisons de notre visite à San Francisco. L'essentiel était qu'ils soient à mes côtés.

— Agents Demayo et Aymes, précisai-je.

— Ce n'est pas tous les jours que l'on reçoit la visite d'agents aussi spéciaux que ceux de la Branche Spéciale, pas vrai ? plaisanta Cross. Et celle de Neil Galore, par-dessus le marché. J'ai tellement entendu parler de vous ! L'affaire du Transcontinental... Vous êtes un exemple pour nous tous. Rares sont les détectives aussi jeunes à avoir résolu une pareille affaire.

Je me sentis gonfler d'orgueil en entendant de telles paroles... Le toussotement narquois d'Elly me rappela à l'ordre et j'enchaînai comme si de rien n'était.

— Je suis navré de vous mettre à contribution, agent Cross. Je dois...

— Appelez-moi Gideon, coupa-t-il. Ce sera un honneur. J'ai reçu le télégramme de Chicago hier soir, me prévenant de votre arrivée. Il était signé de Leonard Price, vous vous rendez compte ? Le chef de la Branche Spéciale en personne. Vous devez être fiers d'appartenir au plus secret des services secrets... Ne dites rien, je sais tenir ma langue, vous savez. Les exploits des « Spéciaux » nous passionnent, nous autres les simples mortels...

— On peut savoir pourquoi il n'y a que des gamins dans ce bureau ? interrompit Elly. L'Agence vous recrute à la sortie de l'école ?

— Vous ne croyez pas si bien dire, Miss Aymes, répliqua Gideon avec bonne humeur... Tant d'hommes dans la force de l'âge sont morts durant la guerre de Sécession que l'Agence en revient à confier ses nouvelles succursales à des recrues fraîchement formées.

— Vous êtes en première ligne, ici, observa Armando.

— La vérité, c'est que personne de sensé ne voulait diriger cette antenne, soupira Gideon Cross. Rendez-vous compte, c'est la plus à l'ouest de tout le réseau. Je me suis proposé tout naturellement, car toute ma famille vit ici. Ma candidature a été acceptée.

Gideon laissa retomber ses bras ballants le long des accoudoirs de sa chaise.

— J'ignorais alors que cela signifierait de rester attaché à ce bureau du matin au soir, en me contentant de distribuer les ordres. Moi, ce que je voulais, c'était de l'action. Des descentes dans les bouges, fusil au poing, des poursuites infernales à cheval, comme dans les magazines. Au lieu de ça, j'ai dû me transformer en scribouillard...

Il désigna avec fatalisme le fatras répandu devant lui.

— Regardez ça. Pour cette semaine, nous avons déjà deux attaques de diligence, un sabotage de la voie ferrée en construction, trois vols à main armée et un meurtre dans une ruelle à deux pas d'ici. Mes agents font ce qu'ils peuvent, mais nous ne sommes pas assez nombreux. Sans compter que nous essuyons des pertes. San Francisco, c'est le terminus de la ligne. Aussi corrompue qu'une carcasse de porc. Il se passe rarement un jour sans que l'on récupère un cadavre dans la baie. Étonnez-vous après ça que les requins pullulent. Nous avons ici les criminels les plus endurcis, souvent de passage. Ils s'en vont ensuite vers le nord, vers l'or. L'or, l'or, l'or ! La faute de l'or ! Les gens deviennent fous dès qu'ils entendent parler d'un filon. On leur dit pourtant de ne pas s'aventurer dans les montagnes, en particulier dans les Klamath, mais bien sûr ils n'écoutent rien, et quand ils reviennent, si d'aventure ils ont survécu, c'est pour devenir pire que des chasseurs de scalps.

Ce diable d'homme parlait comme une moulinette ! À bout de souffle, il consentit à reprendre le ton normal de la conversation pour lâcher, désabusé :

— Mais vous autres, de la Branche Spéciale, tout cela doit vous sembler loin de vos préoccupations.

— Détrompez-vous, Gideon, je compatis sincèrement.

— Dites un peu... Qu'est-ce que vous chassez cette fois ? Des fantômes ? Des tueurs sans tête ? Des bêtes extraordinaires ? Mr. Price m'a recommandé de vous apporter toute l'aide utile. Je suis prêt. Dites-moi que vous réquisitionnez le fort d'Alcatraz, dites-moi que nous allons arrêter quelqu'un dès ce soir, que... Demandez-moi n'importe quoi pourvu que vous m'apportiez de l'action !

— Pour commencer, appelez-moi Neil. Navré de vous décevoir, mais j'ai simplement besoin de deux informations. En premier lieu, je voudrais savoir qui se cache derrière la Californian Prospect ? Quels actionnaires ? Quels intérêts ?

La déception qui se lut sur le visage de mon interlocuteur fit peine à voir. Pourtant, il prit sur lui et récita d'un souffle :

— Facile, c'est une société qui rachète des concessions minières à tour de bras dans les monts Klamath. Elle appartient à des investisseurs privés de l'Est, de New York, Boston, Chicago... Des barons de la finance pour la plupart, très discrets, des sudistes qui se sont enrichis durant la guerre et fricotent autour de la Maison-Blanche. Nous les soupçonnons d'avoir détourné certains fonds dans la construction du train transcontinental, mais vous savez ce que c'est : une crapule en col blanc est intouchable.

— Comment peuvent-ils surveiller leurs acquisitions s'ils résident à l'autre bout du pays ?

— Ils ont une succursale ici, tout comme nous, qui est gérée par un certain Mr. Kieron Morley.

— Kieron Morley, qui dirige aussi l'agence des Chemins de Fer à Sacramento ? s'étrangla Elly.

— Il faut croire qu'il mange à plusieurs râteliers, en siégeant dans plusieurs conseils d'administration à la foi. C'est très rémunérateur. Vous le connaissez ?

— Nous avons déjà eu affaire à lui, soupirai-je, sans plus de précision.

Comme il était singulier de retrouver ce margoulin mêlé à cette nouvelle affaire. Nous le soupçonnions d'avoir engagé naguère, en toute connaissance de cause, des membres de la Brigade Pâle dans sa police ferroviaire. Jusqu'à présent, il n'avait pas été impliqué parce qu'aucun lien formel n'avait été établi entre lui et les sinistres mercenaires – et aussi parce que sa position influente rendait difficile toute inculpation. N'était-il pas l'un des maîtres d'œuvre du *Transcontinental* et n'avait-il pas pris la pose au côté du Président des États-Unis, Ulysse Grant en personne, sur la photographie officielle ? Et pourtant, je soupçonnais Morley de tirer des ficelles dans l'ombre. Pour son compte, ou celui de quelques personnalités prudemment en retrait.

— Vous aussi, vous avez une dent contre le bonhomme ? devina Gideon. Il fait la pluie et le beau temps ici, et sait s'entourer de manière à ne pas être dérangé. Il est très protégé. Intouchable, même.

— J'ai découvert un cadavre dans l'une des concessions récemment acquises par la Californian Prospect, expliquai-je. Circonstance aggravante, c'est une milice de criminels qui en avait la garde. L'un d'eux est sous le coup d'un mandat d'arrêt pour meurtre et incendie volontaire : Angus Dulles.

Le regard de Gideon Cross s'illumina littéralement :

— Vous parlez de la Brigade Pâle, pas vrai ? Dulles, c'est l'incendiaire de la bande ? Ces fripouilles seraient en rapport avec Morley ?

— Plutôt deux fois qu'une, assura Elly.

Gideon préféra doucher nos espoirs sans attendre.

— Morley vous fera répondre que l'embauche de la main d'œuvre n'est pas de son ressort.

— Nous savons, c'est dans son habitude, répliquai-je, mais nous ne renonçons jamais.

— Je vous reconnais là, les gars de la Branche Spéciale, jubila Gideon. Le fer brûle, mais on ne le lâche pas. C'est la devise !

— Si je lui envoyais une convocation pour interrogatoire ? suggérai-je.

— Il allumerait son cigare avec.

Je me grattai le front dans un geste d'impatience.

— OK. Alors nous allons lui rendre visite, vous et moi.

— Génial ! s'exclama Cross en enfilant son veston. Vos adjoints nous accompagnent ?

— Non, ils m'attendront ici.

— Sûr, grinça Elly. C'est le rôle des subalternes que d'obéir aveuglément à leur maître.

J'avais de bonnes raisons de me présenter chez Morley en ambassade réduite. Je souhaitais que ma venue soit aussi conciliante que possible. Inutile d'énerver le serpent à sonnette dont on s'apprête à couper la tête.

— Votre adjointe est rudement jolie, me confia Gideon Cross tandis que nous descendions la rue d'un pas décidé. On a du mal à croire en la voyant qu'elle appartient à l'Agence.

— Ne vous en approchez pas, conseillai-je. Elle mord.

— Et votre ami indien ? Il est muet ?

— Tout dépend des moments.

— C'était quoi la seconde information ?

— Comment ?

— Vous m'avez parlé au début d'une seconde information.

— Ça peut attendre...

Le bâtiment en briques rouges de la Californian Prospect se dressait à l'angle d'un carrefour passant.

Par ses verrières décorées de motifs en forme de lingots, on distinguait des clercs absorbés par leur travail et je me convainquis au premier abord qu'il ne nous serait pas si difficile d'obtenir une entrevue avec le redoutable Mr. Morley. Et pourtant, nous n'avions pas encore posé le pied sur le trottoir que trois hommes surgirent devant nous, habillés avec une distinction quelque peu canaille, costumes à carreaux, lourde cartouchière et Colt 45 bien en vue.

Au premier coup d'œil, je sus qu'ils appartenaient à la Brigade Pâle. Certes, ce n'étaient pas des cow-boys barbus et énigmatiques tels que j'en avais déjà rencontré par le passé. Ceux-là semblaient plus civilisés, plus évolués, si j'ose dire... Et cependant, ils avaient la même fixité dans le regard, la même absence d'expression sur leur visage livide.

— Agence Pinkerton, annonça Gideon sans se douter de rien. Je suis le chef de secteur de San Francisco et voici l'agent Galore, de Chicago. Nous désirons parler à Mr. Morley.

Les mains crochées au ceinturon, les hommes de main nous examinèrent de haut et celui qui semblait leur meneur partit d'un petit rire en soulevant le bord de son chapeau melon.

— Désolé, les Pinks, mais personne ne voit Mr. Morley sans l'autorisation de Mr. Morley en personne.

— C'est le genre de phrase bien rodée qui ne vaut pas pour nous, monsieur, lança Cross en s'impatientant. Nous devons voir votre patron au sujet d'une affaire importante.

— Prenez rendez-vous avec ses avocats, mais à moins que vous n'ayez décidé d'avoir des ennuis, vous n'entrerez pas.

Je me tenais légèrement en retrait de Gideon et j'aperçus à l'étage un rideau qui frémissait derrière l'une des fenêtres... Deux ombres... J'eus l'impression de distinguer la silhouette corpulente de Morley... mais il n'était pas seul. Quelqu'un d'autre était à ses côtés, plus grand que lui... Je ressentis une boule à l'estomac, et des bourdonnements dans les oreilles. J'aurais juré que quelqu'un marmonnait des horreurs sur ma personne, si blessantes, si humiliantes qu'une coulée de sueur perla de mes tempes. Je ressentis ce malaise si vivement que je posai ma main sur l'épaule de Cross qui commençait à s'emporter.

— Je crois que ces messieurs ont raison, Gideon, le tempérai-je.

— Comment ? s'étrangla mon partenaire. Ces abrutis, ces canailles qui...

— Nous devons respecter la loi, et nous reviendrons sitôt que nous aurons un mandat.

— C'est très sage, plaisanta le chef de meute. Très avisé, mon jeune Pink. C'est ainsi qu'on arrive à l'âge adulte. En écoutant les conseils des plus anciens.

Je dus fermer les poings jusqu'à m'en blanchir les phalanges pour à mon tour conserver tout mon sang-froid. J'esquissai un pas de recul, avant de me raviser.

— Vous devez avoir un sacré travail ici, lançai-je avec une bonne humeur feinte. Les mécontents doivent défiler. Tous ceux à qui on vend une concession et qui n'y trouvent qu'une poignée de cailloux...

— Ouais, répliqua le meneur. Certains prospecteurs pensent parfois que nous les avons lésés. C'est la vie. On ne gagne pas à tous les coups.

Je grimaçai un sourire.

— Ma montre s'est arrêtée. Vous avez l'heure ?

— Avec plaisir, Pinky, fit l'une des canailles restées en arrière.

Il descendit les deux marches qui nous séparaient et tira sa montre à gousset en faisant sauter le couvercle d'une chiquenaude juste sous mon nez. Les aiguilles marquaient trois heures dix. Le signe de ralliement bien connu de ceux appartenant à la funeste brigade. Je sentis que l'homme, tout en me toisant, glissait ses doigts en direction de son arme.

— Tu vois, Pinky, appuya mon grossier interlocuteur, c'est l'heure pour toi de partir sans te retourner...

Sur ces paroles, Gideon Cross eut un geste de révolte que j'eus grand mal à contenir.

— Tout va bien, lui assurai-je en l'entraînant, tandis que les rires et les moqueries pleuvaient sur nous. On part, sans se retourner. Quand on ne possède pas les cartes pour gagner la partie, on se couche.

— Mais bon sang, pesta Gideon, vous allez les laisser nous bafouer comme ça, sans réagir ?

— Quelque chose ne tourne pas rond ici. Ces types sont de la Brigade Pâle et ne se cachent même pas. Cela prouve qu'ils se sentent forts et protégés. Au moins nous savons où les trouver, pas vrai ?

Gideon n'était pas prêt à digérer l'affront et il ne recouvra une partie de son calme que lorsqu'il se réinstalla derrière son bureau. Là, il se mit en devoir de mâchouiller le bout de son crayon en ressassant son humiliation. J'avais compris ce qui lui avait valu d'être nommé ici : il devait être trop impulsif pour participer à une opération sur le terrain. Elly et Armando devinèrent certainement que nous avions fait chou blanc et ne se risquèrent à aucune remarque. Je griffonnai une note sur un bout de papier que je poussais devant le chef de section.

— Vous connaissez cet armurier ?

— Je... Oui, bien sûr. Il exerce à deux rues d'ici.

— Commandez-lui des fusils et des balles Minier.

— Des balles Minier ?

— Auxquelles il convient d'ajouter un pourcentage d'argent pur. Ne vous inquiétez pas. Il travaille pour la Branche Spéciale. Il connaît son métier et saura à quel usage elles sont destinées.

— Si vous le dites ! Et qui paiera ?

— Ne vous inquiétez pas. Il adressera sa facture directement à Chicago. Savez-vous maintenant où je pourrais trouver un certain professeur Larrymore ?

Cross avait réponse à tout pour ce qui concernait son secteur.

Il sortit une affichette de sous une liasse d'avis de recherche et me la tendit. Je lus :

CONVENTION SCIENTIFIQUE DE SAN FRANCISCO.
OUVERTE AU PUBLIC. VENEZ NOMBREUX !

9. QUERELLE DE VIELLES BARBES

— Voyons, messieurs, un peu de tenue, je vous en prie ! Nous ne sommes pas dans une réunion électorale ! Un peu de tenue ! Laissez parler le professeur Larrymore !

Le président de séance avait beau s'égosiller, le vacarme se poursuivit sous les lambris de la salle de conférence. Peut-être à cause de la pluie, une foule des grands jours s'était pressée avec une curiosité toute californienne pour la nouveauté. Une fois par mois, la Société des sciences fraîchement née présentait des pionniers de l'Ouest américain, qui contaient leurs expériences plus ou moins pittoresques... et plus ou moins véridiques. Ainsi les évocations de la guerre de Sécession ou de la traversée des Grandes Plaines se succédaient devant un public amateur de frissons. Bien entendu, la Société permettait à ses membres d'exposer leurs derniers travaux en s'efforçant de les rendre compréhensibles au plus grand nombre. Et c'était précisément le tour du professeur Excelsius Larrymore lorsque je me frayais un passage parmi les travées enfumées en compagnie d'Elly.

— Messieurs ! implora à nouveau le doyen en agitant son marteau. Que vous soyez d'accord ou non avec les thèses de votre collègue, je vous en prie, laissez donc finir le professeur. À vous, cher confrère...

Dressé derrière son pupitre d'orateur tel un capitaine affrontant la tempête à la barre de son navire, l'éminent biologiste redressa la tête : c'était un homme maigrelet, aux traits creusés et puissamment imprimés, dont les favoris blancs s'allongeaient depuis les oreilles jusqu'à la lisière de la bouche pincée. Apparemment, l'homme n'en était pas à son premier scandale et il semblait presque se réjouir de l'hostilité à laquelle il se heurtait.

Il profita d'un silence tout relatif pour poursuivre un discours apparemment commencé depuis de longues minutes.

— Croyez-moi, nous n'en sommes qu'au début de nos découvertes concernant les insectes en général et les papillons en particulier, et quand j'affirme qu'ils pourraient un jour dominer le monde, je suis en dessous de la vérité. Ils pourraient survivre à l'humanité !

Une brochette de savants distingués qui avaient pris place au premier rang se leva d'un bond en brandissant le poing et en l'accablant de tous les noms, barbe fière et monocle outragé. Je trouvais le spectacle offert digne d'un cirque et non d'un sanctuaire de la science. Elly partageait visiblement mon avis. Vêtue d'un complet d'homme, elle n'avait pas éveillé les soupçons des greffiers postés à l'entrée qui dirigeaient les femmes vers les galeries.

— C'est quoi ce concert de singes ? me souffla-t-elle dans l'oreille. J'ai connu des saloons où les gars se tenaient mieux que ça. Qu'est-ce que nous pouvons apprendre sur la Brigade Pâle chez ces vieilles barbes ?

— Aucune idée, convins-je, mais si Mr. Price m'envoie interroger ce Larrymore, c'est qu'il possède des informations pouvant nous servir, tu ne crois pas ?

— Le mystérieux Mr. Price ! J'aimerais bien voir sa tête, à ce type.

— Éminents collègues, messieurs, poursuivit Larrymore en coinçant un pouce dans l'échancrure de son gilet, je peux comprendre qu'en l'état de nos connaissances mes théories peuvent vous sembler parfaitement dénuées de fondement... Pourtant, les plus illustres découvreurs de notre monde ont tous affronté à leurs débuts le refus, le mépris, et l'obstination des imbéciles qui n'avaient jamais quitté leur confortable fauteuil à la faculté !

La remarque désobligeante provoqua un nouveau mouvement de colère parmi les redoutables sommités qui, pour certaines, quittèrent la salle en jetant leur cigare au sol. Maintenant lancé, Larrymore couvrit le déluge de protestations d'une voix tonnante :

— Le professeur Driscoll et moi avons déjà publié de nombreux travaux au sujet des papillons, tous étayés par des observations irréfutables.

En l'entendant évoquer le nom de Driscoll, je redoublai d'attention. Ainsi, Larrymore connaissait personnellement le mort des monts Klamath. La raison pour laquelle Price m'avait demandé de le contacter prenait soudain tout son sens.

— Par exemple, enchaîna l'entomologiste, les papillons possèdent des propriétés biologiques qui dépassent l'entendement. Dans de nombreuses civilisations, ils sont le symbole de la vie éternelle, alors que nous les considérons comme les créatures les plus éphémères qui soient ! Nombre de peuplades indigènes à travers le monde leur prêtent des pouvoirs magiques, mais nous autres, biologistes, scientifiques rationnels, devons admettre qu'ils possèdent des vertus inexplorées... Ainsi, les merveilleux *Anthrocharis Resitans* originaires de l'île de Bornéo, que les indigènes Dayaks appellent là-bas les « Ogres Rouges », à cause des dessins effrayants qui ornent leurs ailes... Ils peuvent demeurer des années dans leur cocon, cachés au cœur de la forêt, avant de s'en libérer pour vaquer à leur reproduction... Au point qu'une légende court à leur sujet : ils seraient les créatures les plus anciennes de notre temps. Ils recèleraient le plus étonnant, le plus envié des secrets : celui de l'élixir de jouvence ! L'Élixir de vie !

— Seigneur, Excelsius ! s'indigna l'un des éminents auditeurs au premier rang. Comment osez-vous avancer de telles suppositions ? Vous parlez là d'un conte pour enfants ! Aucun papillon ne saurait vivre plus de quelques mois !

— Aberrant ! approuva son voisin de droite.

— Consternant ! enchérit celui de gauche.

— Qu'en savez-vous ? se défendit Larrymore. Quand avez-vous voyagé la dernière fois sur un continent inconnu, vous tous ? Ah, pardon ! J'oubliais. La roseraie de Mrs. Montague, lors du cocktail de bienfaisance de l'an passé !

Les rires étouffèrent les protestations de l'intéressé. Le président se pencha vers Larrymore.

— Excelsius, ne dépassez pas les limites de la décence, voulez-vous, sinon cette réunion va se transformer en foire d'empoigne et je ne réponds de rien !

— C'en est assez de vos sornettes ! se révolta l'un des frondeurs en se dressant sur la pointe de ses chaussures vernies. Vous n'êtes pas digne de notre société scientifique !

— Allez tous au diable ! répliqua Larrymore. Polichinelle !

Il toisa la salle avec la fierté d'avoir mis les rieurs de son côté, à défaut de les avoir convaincus de ses audacieuses théories. Et il savourait ce mince triomphe quand il se mit à vaciller en portant une main à sa poitrine. Indifférents à son malaise, les scientifiques continuaient à l'accabler de noms d'oiseaux. Des boules de papier fusèrent, puis des crayons et ensuite des pipes... Larrymore voulut se redresser, mais décidément ses forces l'abandonnaient. N'écoutant que mon devoir, je jouai des coudes pour arriver jusqu'à lui et il me tomba littéralement dans les bras. Elly réagit tout aussi promptement et sans état d'âme, brandit son badge de détective.

— Agence Pinkerton, annonça-t-elle d'une voix forte. Reculez, les cols blancs, ou je vous mets tous en état d'arrestation pour débilité mentale.

Tandis que j'évacuais le malheureux par un couloir donnant sur l'arrière du bâtiment, Elly couvrait nos arrières en tenant en respect ceux qui tentaient de nous emboîter le pas, la crosse de son pistolet Remington bien en vue. J'aurais juré qu'elle avait fait ça toute sa vie. Sitôt dehors, je fis aussitôt asseoir le professeur sur un banc dans le jardin jouxtant le bâtiment, et le laissai reprendre son souffle.

— Vous avez besoin d'un docteur, estimai-je.

— Rien du tout ! maugréa Larrymore. C'est ce maudit cœur ! Voilà qu'il me fait défaut au pire moment.

— Je ne crois pas que vous auriez pu poursuivre, tenta de le consoler Elly. Ils sont proprement déchaînés là-dedans. Vous feriez un malheur dans les cabarets, vous avez un vrai talent pour soulever le public !

— Nous allons vous conduire à l'hôpital.

— Un hôpital ! se rebella le savant. Pouah ! Il n'en est pas question. C'est pour les mourants, pas pour moi. Et puis-je savoir qui vous êtes, jeunes gens ?

— Agence Pinkerton, monsieur. Nous désirons vous parler au sujet de votre collègue, le professeur Driscoll.

Une expression étonnée allongea le visage de Larrymore.

— Quoi ? Vous l'avez enfin retrouvé ? Satané vieux Driscoll ! C'est bien son genre que de partir des mois sans donner de nouvelles.

Involontairement, l'arrivée d'Armando m'évita d'avoir à m'expliquer immédiatement sur les circonstances, qui en effet, m'avaient permis de le découvrir. L'entrée de la salle lui ayant été interdite au motif qu'il était indien – ce n'était pas faute de l'avoir enjoint à changer de vêtements – il avait dû se contenter d'assister aux débats depuis le couloir de promenade jusqu'à l'incident.

— Quand je pense qu'ils ne veulent pas de « sauvages » à l'intérieur ! pesta-t-il. Qui sont les sauvages, dites voir ? Cet homme a le cœur fragile. Il devrait être au lit.

Il approcha discrètement sa bouche de mon oreille et glissa :

— Nous sommes surveillés.

— Exactement ce que j'étais en train de me dire, approuvai-je.

Comme je balayais les environs d'un regard, j'aperçus une voiture fermée rangée le long du trottoir, juste en face de l'entrée principale du bâtiment de la Société des sciences. J'éprouvai une désagréable sensation, identique à celle qui m'avait saisi alors que je me trouvais sous les fenêtres de la Californian Prospect.

J'aurais juré qu'à l'intérieur quelqu'un m'appelait par mon nom en l'enrobant des pires obscénités qu'une malveillance humaine puisse concevoir. Armando me tira par la manche.

— Autre chose. Dans la galerie, des types de la Brigade Pâle sont passés devant moi.

— Quoi ? Ici ? Tu t'es peut-être trompé... Je ne les vois pas déambuler au grand jour, en plein centre ville.

— Je ne plaisante pas. Ils étaient mieux habillés que ceux de la Sierra, mais pour le reste, tu peux me faire confiance. Je les repère rien qu'à leur façon de marcher.

— Probablement ceux qui travaillent pour la Californian Prospect. Aucune idée de ce qui les amenait ?

— Peut-être nous... Ou... Le professeur ici présent ?

Je reportai les yeux sur la berline aux rideaux tirés. Elle s'était éloignée sans se faire remarquer, et j'eus l'impression que ma poitrine se libérait d'un poids...

10. LA MARQUE DE L'OGRE ROUGE

Un ballon de brandy à la main, le professeur Excelsius Larrymore laissa d'abord son regard s'égarer parmi les rayonnages cossus de sa bibliothèque. Il admira avec une certaine nostalgie les légions de livres anciens qui se côtoyaient sur les étagères trop étroites, mais plus encore la formidable collection de lépidoptères épinglés à l'intérieur de cadres de différentes tailles éparpillés sur le mur. Le savant lâcha un soupir de contentement avant de déclarer :

— Ceci est mon petit royaume, Monsieur Galore. J'ai consacré ma vie à ces créatures... Étant jeune, j'ai parcouru de nombreux continents à la recherche de spécimens rares. Les papillons sont merveilleux. Ils présentent une infinie variété d'envergures, de formes et de coloris, sans parler de leurs facultés qui dépassent l'entendement. Savez-vous qu'un papillon n'est jamais malade ? L'hémolymphe qui circule dans son organisme le protège de toutes les affections... Tous ces crétins de la Société des sciences ne comprennent rien à rien. Ils ne savent que se dandiner dans les dîners mondains et passent moins de temps derrière les microscopes que les buffets campagnards. Quand je pense qu'ils ont fait paraître des caricatures grotesques me représentant en attardé mental affublé d'un filet à papillons !

Il mit quelques secondes à digérer l'évocation de ce pénible souvenir et en profita pour vider son verre. Je me tenais debout devant lui, les deux mains croisées sur la boucle de mon ceinturon – à la manière des Pinkerton lorsqu'ils sont de faction. Je n'étais plus trop inquiet sur son état de santé. Depuis son retour chez lui, il avait semblé reprendre du poil de la bête. À mes côtés, Elly était autant fascinée par le décor bourgeois que par ce décorum insolite. Plus réservé, Armando se tenait en retrait. La collection des frêles insectes épinglés suscitaient à l'évidence chez lui une répulsion qui se lisait dans son regard. Un domestique distingué nous apporta du thé et des biscuits avant de disparaître.

— Vous devriez consulter un médecin, professeur, fis-je remarquer.

— À quoi bon ? Je suis médecin moi-même et je sais ce dont je souffre, mon jeune ami, cela s'appelle l'âge. C'est un mal irréversible, voyez-vous, contre lequel il n'est pas de remède. Je vous remercie pour l'aide que vous m'avez apportée tout à l'heure, mais je vais beaucoup mieux. Donnez-moi des nouvelles de Chicago, cette belle ville si prospère ! Oh, ne faites pas l'étonné, Mr. Price m'a prévenu de votre arrivée et je m'attendais à vous voir.

— Eh bien, Chicago s'enrichit, confiai-je. Sa population criminelle n'a jamais été si active... Il paraît que c'est un signe de prospérité.

— Ce n'est pas un hasard si l'Agence Pinkerton s'y est implantée dès son origine, remarqua Larrymore.

Vous êtes bien jeunes tous les trois pour le dangereux métier de détective. Et votre ami Indien est des vôtres ? Il est rare que le vieil Allan engage des Peaux-Rouges.

— Il... Il est déguisé pour les besoins de notre enquête, expliquai-je, maladroitement.

— Mais vous désiriez me parler de Driscoll ! Ah, Driscoll ! Un scientifique comme je les aime, habité jusqu'au plus profond par son appétit de connaissance. Et la passion des papillons. Que devient-il ? Il ne s'est pas mis dans les ennuis, au moins ?

Je ne savais comment lui annoncer la mauvaise nouvelle. Je préférai qu'il m'informe en priorité de certaines choses.

— L'Agence s'intéresse à l'espèce de papillons dont vous parliez, ces... Comment déjà ?

— Les *Anthrocharis Resitans*, oui... Les Ogres Rouges.

— Serait-il possible qu'il en existe en Amérique ?

— Driscoll le croyait, mais nous n'avons jamais pu le prouver.

— Mais en théorie, ce serait possible ?

— Eh bien, oui... En effet, les papillons peuvent migrer sur des centaines de kilomètres et donc traverser des océans. Ils ont aussi pu être importés par inadvertance. Toutes sortes de larves trouvent commodes de s'agglutiner aux ballots de thé que nous déchargeons dans la baie chaque jour. Quel intérêt représente ce noble spécimen pour l'Agence Pinkerton ?

— Nous avons des raisons de croire que certaines tribus indiennes du nord de la Californie vénèrent vos Ogres Rouges. Des Pomos. Ils lui ont même dédié une salle de prière...

— Vraiment ? jubila Larrymore. Mais alors, nous tenons la preuve ! Il suffirait que nous puissions capturer certains spécimens et alors... Ce serait magnifique !

Magnifique, vraiment ! Les Indiens méprisent la chose scientifique, et cependant ils sont doués d'une intuition particulière qui les fait s'en rapprocher. Vos Indiens Pomos ont dû percer les vertus si particulières de l'*Anthrocharis Resitans* !

— J'aimerais en savoir plus à leur sujet. Pouvez-vous m'éclairer ?

— À Bornéo, il arrive que l'on assiste à leur envol dans les clairières, la nuit venue, après des années de sommeil. Spectacle d'une surprenante beauté, je vous prie de le croire, car ils comptent parmi les plus grands des lépidoptères. Ils s'accouplent, et disparaissent à nouveau. D'où leur observation très difficile. Leur existence remonte à l'Antiquité et probablement au-delà. J'en ai personnellement retrouvé trace dans des temples du sud de l'Égypte.

— J'aimerais bien en voir un, lança Elly.

— Rien de plus simple, mademoiselle.

Une expression malicieuse passa sur le visage de Larrymore tandis qu'il se levait pour ouvrir une vitrine. Il déposa devant nous un globe de verre à l'intérieur duquel un papillon large comme une assiette était fixé sur une souche, ses ailes aux motifs pourpres d'une complexité étonnante largement déployées. Il ressemblait à s'y méprendre à ceux dessinés par Driscoll, mais aussi à la fresque murale qui donnait accès à la salle de prière des Pomos.

— Je vous présente *Anthrocharis Resitans,* annonça le professeur avec emphase. Le seul animal vieux de plusieurs siècles. Peut-être le détenteur du secret le plus envié de l'humanité. Mais reprenez donc du thé et des biscuits ! À votre âge, il faut se nourrir !

Nous acceptâmes l'invitation, quoique passablement intrigués par sa prodigieuse théorie... à l'exception d'Armando qui se mit à flâner parmi les collections de papillons en se contentant de nous prêter une oreille distraite. Je poursuivis mon interrogatoire sans faillir.

— Excusez mon ignorance, je ne suis vraiment pas un scientifique, mais comment êtes-vous arrivé à la conclusion que l'Ogre Rouge était capable de survivre plusieurs siècles ?

— Vous allez comprendre, promit Larrymore en déployant devant nous un volume ancien. Voici l'ouvrage d'un médecin portugais du XVe siècle, Lucio de Almeida, qui passa sa vie à bord des galions d'exploration de son temps – ceux-là même qui découvrirent le continent américain. Biologiste amateur à ses heures perdues, il prenait grand soin de consigner dans ses cahiers de bord toutes les nouvelles espèces animales qu'il rencontrait au gré de ses escales. Le fruit de son travail est réuni dans ce volume. Voyez.

Larrymore alla directement à une page marquée d'un signet. Deux superbes papillons se faisaient face, restitués par le crayon de l'auteur avec une précision non moins diabolique que celle de Driscoll, au point qu'on aurait pu croire qu'ils allaient prendre leur envol.

— Vous les reconnaissez, n'est-ce pas ?

— Des *Anthrocharis Resitans*, récitai-je avec l'application d'un bon élève.

Larrymore laissa filer un petit rire.

— Bien, bien ! Nous savons donc qu'ils existaient depuis fort longtemps en certains endroits du globe, mais à présent, voyez l'explication juste en dessous, que je vous traduis. De Almeida estime que le dessin qui orne les ailes de chaque Ogre Rouge est proprement unique. Une sorte de marque d'identité. Ce phénomène n'est pas rare dans la nature, par exemple chez certaines espèces d'oiseaux, qui présentent des différences de plumages uniques...

— Je vous suis, fit Elly, caustique. Les oiseaux à plume, je connais.

— Si nous tenons ce principe pour acquis, enchaîna Larrymore, expliquez donc ceci...

Il juxtaposa la page du livre au spécimen du globe de verre.

Je fronçai les sourcils : les deux correspondaient en tous points. Armando lui-même marqua sa stupeur, fasciné par ce rapprochement inouï.

— Quoi ? Ce papillon serait celui dessiné dans le livre voilà plus de quatre siècles ? s'écria-t-il.

— Exactement ! s'enthousiasma le chercheur. Faites la déduction vous-même !

— Ce n'est pas sérieux, renâcla Elly. Les papillons sont connus pour avoir une vie très courte.

— Pas celui-ci. Comprenez-vous quelle porte s'entrouvre ici ? Un papillon qui aurait plusieurs siècles d'existence ? Il deviendrait l'être vivant sur Terre possédant la plus grande longévité jamais découverte, surclassant certaines espèces de tortues et de requins. Est-ce si étonnant, si l'on considère que son sang vert, son hémolymphe, le préserve des maladies ? On comprend mieux pourquoi, dans certaines civilisations du bout du monde, il est vénéré comme un dieu de prospérité et de longévité...

Larrymore marqua un court silence, puis, comme l'artiste prépare son auditoire au clou de son spectacle, il murmura :

— Et maintenant, regardez !

Il tapota trois fois sur le globe de verre et, à notre grande stupeur, ce papillon que nous pensions mort, épinglé comme les autres sur sa souche factice, se mit à voleter dans sa cage. Son effet réussi, Larrymore se hâta de le remettre à l'abri de sa vitrine.

— Pardonnez-moi, je ne peux jamais résister à la tentation d'un effet... Mr. Price a bien fait de vous envoyer à moi. Qui d'autre aurait pu vous informer ?

Son visage s'assombrit brusquement, et il lâcha crûment la réflexion qui s'était formée dans son esprit depuis un bon moment :

— Driscoll est mort, sinon, vous ne seriez pas ici.

En guise de réponse, je lui tendis le cahier de dessins de son collègue. Son visage devint blême tandis qu'il le feuilletait avec un sourire de connaisseur.

— Il ne s'en séparait jamais... s'apitoya-t-il. Je m'en doutais. Cette expédition dans les monts Klamath était une pure folie. Et seul, qui plus est.

— Je regrette, achevai-je. Un accident, selon toute vraisemblance. J'ai retrouvé son corps au fond d'une crevasse, par hasard.

— Y avait-il quelque chose d'autre dans cette crevasse, Mr. Galore ? Des cocons ? Des papillons morts ?

— Non, seulement des dessins primitifs.

— Pauvre bougre, murmura Larrymore. Il était obsédé par sa quête.

— Vous avez déjà entendu parler de la Brigade Pâle ? demanda Elly à brûle-pourpoint.

— Non, de quoi s'agit-il ?

— Une faction de criminels, compléta ma collègue, utilisés comme hommes de main par certaines grandes compagnies.

— Non, je suis désolé, répondit Larrymore, distrait. Dans mon milieu, vous savez, ces choses appartiennent à une autre planète. Quel rapport ont-ils avec les Ogres Rouges ?

— Justement, c'est la question, conclus-je. Nous sommes navrés pour le dérangement.

Je voulus reprendre le cahier de Driscoll des mains du professeur, mais je sentis qu'il le serrait contre lui en renâclant.

— Il s'agit d'une pièce à conviction, précisai-je. L'Agence devra élucider la mort de votre collègue.

Quand il lâcha prise, j'eus l'impression que je venais un peu de lui arracher le cœur.

11. THÉORIES, THÉORIES...

Après notre entrevue avec Larrymore, mon premier soin fut d'envoyer un télégramme à Leonard Price pour l'informer des nouveaux éléments de mon enquête. Pour autant, je n'étais pas plus avancé. Les raisons qui avaient poussé la Californian Prospect à acquérir des concessions sans valeur sur les hauteurs de Trader Camp, en plein territoire pomo, me restaient encore obscures. Quel rôle ces étranges papillons jouaient-ils dans cette stratégie ? Tant de précautions et de mystères, sans parler de la mort d'un témoin trop curieux, laissaient penser que nous avions mis le doigt sur une machination dont les ressorts m'apparaissaient plus alambiqués que jamais.

En quittant le bureau du télégraphe, je retrouvai mes deux adjoints dos à dos, bras croisés. Ils ne s'étaient toujours pas adressé la parole depuis notre départ de Redding, aussi leur comportement finit-il par m'exaspérer.

— Quand cesserez-vous vos enfantillages ? Je me contrefiche de savoir qui en veut à qui. Nous menons une enquête où nous risquons à tout moment de nous retrouver en face de Morley et de ses sbires. Soit vous videz votre querelle d'amoureux, soit je vous fais coffrer.

Elly et Armando se jaugèrent du regard, replongèrent dans le silence, et je compris que mes incantations ne suffiraient pas à les décider d'enterrer la hache de guerre. La pluie fine du début de l'après-midi se transforma brutalement en une averse poisseuse. Comme chacun sait, San Francisco est une ville en pente, qui accroche ses grappes d'habitations clairsemées aux flancs de ses nombreuses collines. En un rien de temps, de véritables torrents inondèrent les rues en terre battue. Nous dûmes de toute urgence nous abriter sous l'auvent d'une laverie chinoise dont le seuil était judicieusement surélevé. Nous restâmes là un bon moment, à frissonner en remontant nos cols, en attendant que le déluge s'arrête. Elly glissa son bras sous le mien en faisant mine d'admirer les idéogrammes orientaux qui s'étalaient sur la vitrine :

— Ça me rappelle la fumerie d'opium à Sacramento, évoqua-t-elle. Tu te rappelles de la délicieuse Chinoise, Galore ? Tu l'as revue ?

— Pour risquer de rencontrer ses cousins larges comme des Bouddha ? plaisantai-je. Non, merci, je n'étais pas assez amoureux pour ça.

— Parce que quand tu es amoureux, tu es du genre à combattre les types plus forts que toi ?

Je la voyais venir, avec son sourire charmant, ses yeux plissés de malice. Elle savait jouer de son charme ineffable, de ses manières exquises, qui hélas pouvaient à tout moment laisser place à la vulgarité d'une véritable mégère. Je suppose que c'était pour cette raison que j'en étais si solidement épris, parce que je ne savais jamais à quoi m'attendre avec elle. Je retirai mon bras du sien.

— Agent Aymes, pas de familiarité pendant le service, ordonnai-je.

Loin de se vexer, mon refus de me laisser embobiner par son petit jeu la fit sourire, et son regard se détourna vers les hauteurs de la ville.

— J'aimerais un jour habiter l'une de ces petites maisons, confia-t-elle. Tu vois, celles avec des petites fenêtres et des rideaux rouges ?

Honnêtement, je ne vis pas ce petit paradis bourgeois qu'elle désignait, mais je fis comme si.

— Mais je ne suis pas idiote, enchaîna-t-elle. Je sais bien que c'est un rêve qui ne se réalisera pas.

— Pourquoi ça ? m'étonnai-je. Les rideaux rouges sont si durs à trouver ?

— Je ne suis pas fichue comme les autres, voilà ce qui ne va pas.

Il m'apparut qu'elle faisait allusion à quelque chose d'intime, de profond, et que j'aurais eu beau la questionner, elle ne se serait pas livrée davantage. Elle se tourna brusquement vers Armando.

— Si tu es toujours en communication avec la Terre-Mère, veux-tu bien nous dire si cette satanée pluie va bientôt s'arrêter ?

Armando la dévisagea, à la fois surpris et ravi qu'elle ait enfin consenti à lui parler. Tout à sa joie, il s'avança sous la pluie, tête nue, et éleva ses bras vers le ciel en chantonnant l'un de ses cantiques indiens, que j'interprétai comme une sorte de louanges aux éléments déchaînés.

— La Femme Changeante reçoit l'offrande du ciel qui la fertilise avec amour et respect, psalmodia notre Navajo. Ainsi les *chinde*, les mauvais spectres, que rien ne peut abattre ni ramener à la bonté, sont-ils balayés de la surface de la Terre...

— J'aimerais que ce soit vrai, ne pus-je m'empêcher de soupirer.

— Si en plus tu l'encourages dans ses délires... me rabroua Elly.

Armando plongea son regard dans le mien. J'y décelai une étrange sérénité, une confiance infinie.

— Allan Pinkerton tient à nous parce que nous possédons certains dons, assura-t-il d'une voix posée. Il le savait la première fois qu'il nous a embauchés parmi tant de candidats, à Salt Lake. Toi, Galore, tu es capable de deviner certaines pensées des gens en touchant ce qu'ils ont touché. Moi, je suis un pisteur, habité par l'esprit des divinités Navajos, et je saurais retrouver n'importe quelle trace, même écrite dans le ciel. Quant à Elly...

— ... Je mange comme quatre, acheva l'intéressée, je lève la jambe et je fume le cigare ! Je n'ai aucun talent particulier et j'ai également été engagée.

— Ce n'est pas la même chose, opposa notre ami, tu es...

— Quoi ? Je suis quoi ? Vas-y, crache-le !

Sentant l'orage revenir entre ces deux-là, je les écartai des deux bras à la façon d'un arbitre séparant deux boxeurs.

— Si nous remettions cet échange de vues à plus tard, d'accord ? J'essaie de réfléchir. Si seulement je comprenais le lien entre les Ogres Rouges et la Brigade Pâle ?

— Chaque tribu possède des rituels dévoyés, déclara Armando. J'ai entendu parler de ces Pomos : ils vénèrent des monstres en guise de dieux et se déguisent en esprits maléfiques en agitant des serpents à sonnette jusqu'à la transe le temps de cérémonies secrètes. Il est possible que ceux de Trader Camp prennent ces papillons pour un signe de leur dieu impitoyable, Kuksu...

— Kuksu... me rappelai-je. Weyland m'a parlé de ce Kuksu. Nous avons découvert des fresques anciennes à l'entrée de la concession.

— Raconte-moi précisément ce que tu as vu là-bas, insista Armando.

Je m'acquittai bien volontiers de cet effort de mémoire, et à mesure que je parlais, la mine de mon ami navajo s'allongea. Et quand j'eus évoqué le bruit terrifiant, la disparition de Weyland, et mon laborieux chemin de retour, il ferma les yeux pendant un temps, comme s'il s'efforçait à son tour de tout visualiser.

— Tu as mis au jour une salle de prière, là où se tiennent les rituels secrets, diagnostiqua-t-il. Les Pomos et les Ogres Rouges sont liés.

— Je m'en serais douté. Larrymore n'a-t-il pas affirmé qu'ils avaient en quelque sorte adopté ces papillons comme envoyés de leurs dieux ?

— Oui, mais, il ignore tout de la *ghost dance*, quand les papillons dévorent les âmes des vivants...

— Minute, minute, intervint Elly, ce serait cette *ghost dance* qui d'une certaine façon donnerait naissance à la Brigade Pâle ? Qui transformerait des hommes ordinaires en ces sales types impassibles ?

— Le seul moyen d'en être sûr, confirma Armando, ce serait d'assister à l'une de ces cérémonies, ou d'interroger l'un de ceux qui l'ont vécue...

Je sortis le cahier de Driscoll pour le feuilleter d'un air pensif.

— Cette longévité, cette invulnérabilité dont ces papillons sont dotés pourraient se communiquer à de simples mortels... Mais de quelle manière ?

— La magie des Pomos est puissante, se borna à confier Armando. Leurs chamans ont le pouvoir d'invoquer les esprits en les sifflant.

— Une femme peut-elle être chamane ? demandai-je en me souvenant de ma singulière rencontre au sortir de la salle de prière des Pomos.

— C'est souvent le cas, confirma Armando. Tu l'as vue, n'est-ce pas ? Est-ce qu'elle portait une sorte de flûte autour du cou ?

— Décorée de plumes, précisai-je. Et je ne sais pas pourquoi, mais j'ai le sentiment qu'elle est ici, à San Francisco. Il m'a semblé sentir sa présence plusieurs fois depuis mon arrivée... D'abord sous les fenêtres de la Californian Prospect, puis tout à l'heure, dans la voiture garée devant la Société des sciences... C'est comme si je pouvais entendre les sorts qu'elle me jette.

— Alors c'est elle, entérina notre ami Navajo. C'est elle qui fait passer les hommes dans le monde des esprits malfaisants, c'est elle qui transforme de simples mercenaires en agents de la Brigade Pâle.

— Weyland a toujours été convaincu qu'il s'agissait d'un rituel, me remémorai-je, auquel les généraux sudistes auraient fait appel pendant la guerre pour disposer d'un bataillon de tueurs invulnérables.

— Aucun d'eux n'a jamais été capturé, trancha Elly. On ne peut que supposer.

— Il faut questionner le seul membre de la Brigade Pâle qui soit entre nos mains, suggérai-je. Et il se trouve justement ici, détenu au fort d'Alcatraz...

De la hauteur d'où nous nous trouvions, nous distinguions parfaitement le rocher surmonté du fort militaire qui se dressait au beau milieu de la baie de San Francisco.

— Cela ne marchera jamais, Neil, tenta de me dissuader Armando. L'homme auquel tu penses a perdu l'esprit.

— Je veux tenter ma chance, décrétai-je.

Etaient-ce les invocations de mon ami navajo, la pluie cessa aussi brusquement qu'elle avait commencé. J'aperçus un fiacre qui tentait de remonter la rue en dépit des rigoles. Je lui barrai le passage.

— Cocher, à l'embarcadère, et au galop !

12. LE PRISONNIER DU ROCHER

La première impression produite par Alcatraz était qu'un tel endroit n'aurait dû être destiné qu'aux mouettes, nombreuses et obstinées, qui nichaient sur ses contreforts abrupts, et non à une population d'hommes – fût-elle composée exclusivement de militaires. À l'époque, Alcatraz était encore une garnison, non la prison qu'elle deviendra plus tard. Cependant, quelques prisonniers particuliers y étaient déjà détenus sous haute surveillance, au secret, tel celui que je m'apprêtais à rencontrer. À mesure que le petit vapeur à bord duquel nous avions pris place s'approchait de ce furoncle de pierre battu par les flots, un curieux sentiment de malaise s'empara de moi, qu'Elly et Armando partageaient aussi. Il n'était qu'à croiser leurs regards pour s'en convaincre alors que nous débarquions sur un ponton en contrebas du phare. Bien que prévenu par câble de notre arrivée, un jeune officier en uniforme impeccable nous accueillit avec une certaine méfiance. Il parut surpris par la présence d'une jeune femme parmi nous, et ne put s'empêcher, avec un salut tout réglementaire, de la lorgner avec un certain embarras.

— Salut, mon mignon, lança Elly sans façons. Nous sommes les Pinkerton que tu attendais. Tu nous fais visiter.

— Et moi, je... hésita le bellâtre, je suis le lieutenant Prentice, mademoiselle, chargé par le colonel Seward de vous introduire auprès du détenu. Lequel d'entre vous s'appelle Galore ?

— C'est moi, me présentai-je.

— Je préfère vous prévenir, agent Galore. Mon supérieur a immédiatement contacté Chicago pour obtenir confirmation de votre qualité et s'il n'avait pas reçu de sérieuses assurances de votre bureau central, vous n'auriez même pas pu poser un pied sur cette île. Aucun civil n'est autorisé ici.

— J'en suis conscient, lieutenant, et je remercie le colonel Seward pour sa sollicitude. Il est urgent que je puisse interroger Cecil Wardrop, votre prisonnier.

— Son internement est un secret militaire, monsieur. Le colonel compte sur votre discrétion. Pour tout dire, il n'apprécie guère les civils.

Tant d'atermoiements commençaient à me lasser, d'autant que la pluie un temps assagie recommençait à tomber, aussi pris-je le parti d'en imposer.

— Cet homme n'est ici que parce que l'Agence Pinkerton l'a décidé, lieutenant. Je ne vous rappellerai pas qu'elle détient tout pouvoir pour l'interroger à sa guise, que cela plaise à votre colonel ou pas. À présent, si vous consentiez à nous faciliter notre mission.

— Et à nous mettre à l'abri... compléta Elly.

— En effet, se décida Prentice. Suivez-moi. La demoiselle et vous. Pas l'Indien. Nous sommes en guerre avec eux.

Cette interdiction me fit bouillir les sangs, mais je préférai pour l'heure ne pas me mettre le militaire davantage à dos. Armando ne s'en émut pas, comme s'il s'agissait d'un châtiment qu'il s'était préparé à endurer. Il nous fit signe d'aller de l'avant, et croisa les bras, stoïque, indifférent à l'averse. Nous gravîmes une pente de terre jusqu'au portail en fer de l'établissement. Là-bas, dans un autre monde, nous pouvions distinguer San Francisco accroché à ses collines, dont les lumières disparaissaient dans un couchant ténébreux. Nous passâmes par un chemin de ronde, non sans lorgner le ressac impitoyable qui à nos pieds labourait la falaise dans un fracas assourdissant.

— Si vous voulez mon avis, crut bon de préciser Prentice, la place de ce Mr. Wardrop est dans un asile d'aliénés, pas dans un fort militaire. C'est à peine s'il se nourrit seul. Il ne dit pas un mot, et nous devons veiller sur lui comme une nourrice... Ce qui n'est pas précisément notre tâche à nous autres, soldats.

— Je compatis, lieutenant, mais je ne suis pour rien dans ce choix.

— Vous êtes celui qui l'a arrêté, non ?

— Cela me donne autorité pour l'interroger, non pour vous faciliter la vie.

Nous pénétrâmes dans un quartier du bâtiment où s'alignait une rangée de cellules. À l'entrée, un panneau dissuasif indiquait en lettres majuscules :

ACCÈS INTERDIT À TOUTE PERSONNE ÉTRANGÈRE AU SERVICE.

À notre approche, deux gardiens armés de fusils Henry jaillirent d'une guérite. Ils ne consentirent à nous introduire qu'après que le lieutenant eut expliqué la situation. Cela fait, ils ne nous lâchèrent plus d'une semelle, nous guidant à travers un dédale de couloirs à la lueur de lampes tempête.

Comme par un savant effet de mise en scène, un éclair d'orage inonda le ciel quand la porte de la cellule s'ouvrit devant nous, illuminant l'ancien lieutenant de la Brigade Pâle. Mon père. Ou celui qui s'était prétendu tel. Du cruel contremaître que les ouvriers du Chemin de Fer avaient surnommé « le Châtiment », il ne restait qu'un squelette décharné et méconnaissable, aux cheveux gris et poisseux dégoulinant sur des épaules amaigries. Je l'avais connu fringant, rasé de près et la moustache cirée. La vision de cette épave vêtue d'un maillot de corps repoussant de saleté, assise au pied de sa couchette indigne, me donna la nausée. Alors que je faisais mine de m'approcher, Elly me retint par le bras pour me rappeler à la plus élémentaire prudence. Je n'oubliais pas de quelles monstrueuses abjections ce monstre s'était rendu coupable mais, curieusement, je n'éprouvais aucune peur. Plus encore, une force insolite me poussait devant lui.

Peut-être l'envie de comprendre.

L'envie de connaître la vérité sur mes origines.

Je pris d'abord son pouls, à peine perceptible, puis examinai ses pupilles dilatées, preuve qu'on lui administrait régulièrement des calmants. Ses yeux sombres naguère si intimidants ne brillaient plus d'aucune lumière. Je n'avais devant moi qu'une coquille vide.

— Vous avez une idée de ce qui a provoqué son état de catalepsie ? m'interrogea Prentice.

— C'est une longue histoire, me contentai-je de répondre. Disons que cet homme possédait le pouvoir de se trouver simultanément en deux endroits différents au même moment. L'une de ses moitiés s'est à jamais perdue. Vous avez là ce qu'il reste de l'autre.

Prentice contint difficilement un pouffement de rire.

— Désolé, s'excusa-t-il aussitôt, mais... Ce sont des contes que l'on entend chez les Peaux-Rouges. J'ai du mal à croire qu'un Blanc... Enfin, vous voyez ce que je veux dire...

— Cette aptitude au dédoublement est plus répandue que vous ne croyez, lieutenant, récitai-je en me souvenant des démonstrations de Calder Weyland.

Je m'agenouillai devant le prisonnier.

— Mr. Wardrop, est-ce que vous m'entendez ? Agent Galore. Vous vous souvenez de moi ?

Soudain, mû par une sorte de réflexe furieux, le détenu me saisit le bras avec une force terrifiante et me sonda de son regard aussi vide qu'un puits sans fond. Aurais-je voulu desserrer l'étau que je n'y serais sûrement pas parvenu si les soldats ne m'avaient alors prêté main-forte pour me dégager. Durant ce bref instant, Wardrop rapprocha son visage du mien, ce faciès désormais décharné et hagard, comme pour me dévorer du regard. Il empestait la crasse, mais également un parfum curieux, douceâtre même... qui me rappela... l'odeur particulière d'encens que j'avais respirée dans la salle de prière des Pomos, dans les souterrains de la concession minière. Craignant d'être frappé, il se réfugia tout contre le mur, les bras levés pour se protéger la tête.

— La Brigade Pâle... articula-t-il avec effort. Il faut avertir la Brigade Pâle...

— De quoi ?

— Nous sommes manipulés. Nous ne combattons plus pour la cause... (Il cligna des yeux avant de poursuivre.) La guerre est perdue, n'est-ce pas ? Sinon ces sales Yankees [1] n'oseraient pas lever la main sur moi.

1. Nom donné aux soldats du nord pendant la guerre de Sécession. Voir note précédente.

Oui, ils l'ont emporté, et cet ivrogne de général Grant à leur tête !

Nul besoin d'être médecin pour deviner que les souvenirs s'emmêlaient dans son esprit délabré.

— Il a grillé une lampe, diagnostiqua Elly à mes côtés.

Je lui adressai un regard réprobateur avant de renouer le dialogue.

— La guerre est finie, Mr. Wardrop. Et la construction du chemin de fer aussi... Vous étiez contremaître sur le chantier. Vous aviez des Chinois sous vos ordres, ceux qui posaient les explosifs... Rappelez-vous...

À l'évocation de ce sinistre épisode de sa carrière, un rictus glissa sur ses lèvres desséchées.

— C'est bien fini, murmura-t-il. Va-t'en, Neil. Ton seul salut est de fuir. Sans quoi ils viendront te chercher comme ils sont venus me prendre un soir. La chamane chantera et dansera. Elle agitera son petit sifflet décoré de plumes. Elle te serre de près mon garçon. Elle me l'a dit.

— Elle est venue vous voir ?

— Aucun mur ne saurait l'arrêter. Elle détient le secret du Puha, le secret des forces universelles. Elle sait se déplacer au loin, avec le vent, sans bouger. Mon Dieu, ce maudit pouvoir... Quelle effroyable erreur !

Il partit d'un petit rire pathétique. J'eus la présence d'esprit de sortir le cahier de Driscoll et d'en feuilleter les pages sous ses yeux. À la vue des croquis de papillons, il poussa un gémissement de terreur.

— Les papillons ! Les papillons !

À cet instant j'eus l'impression que les murs de la cellule s'effaçaient. C'était la nuit. Je me trouvai d'un coup transporté au centre de la salle de prière des Pomos. J'aperçus d'étranges cages en rotin suspendues à la voûte, et un cercle de torches se refléter sur les parois rougeâtres ; autour de moi se devinaient des spectateurs attentifs en vareuses grises, sabres clinquants et gants beurre frais – probablement des officiers sudistes. J'entendis la mélopée obsédante d'un tambour indien puis un chant ancestral qui s'élevait dans l'air. Un vent glacé balaya ma peau nue. Je compris que j'avais été projeté dans une vision du passé de Wardrop. Je voyais ce qu'il avait vu, la nuit fatidique du rituel qui l'avait conduit à devenir un membre de la Brigade Pâle. Brusquement, un monstre ailé surgit devant moi, qui ouvrait une gueule puissante d'où sortait une trompe répugnante. La terreur glaça mon corps entier. J'étouffais... J'étouffais...

Je rouvris subitement les yeux pour découvrir que Wardrop se tenait au-dessus de moi et qu'il tentait de m'étrangler, ses mains nouées autour de ma gorge. Les soldats aussi bien qu'Elly durent le frapper pour enfin lui faire lâcher prise. Affolé, Prentice nous poussa hors de la cellule et fit refermer derrière lui à double tour.

— Sacré bon sang ! s'exclama-t-il en épongeant son front. Qu'est-ce que vous lui avez fait ? Il n'avait jamais aligné trois phrases auparavant ni remué le petit doigt ! Et voilà qu'il parle comme un moulin et essaie de vous assassiner. De quoi parlait-il ? Quelle chamane ? Et qu'y a-t-il dans le cahier que vous lui avez montré ?

— Dis donc, mon gars, le sermonna Elly, tu gardes tes questions pour plus tard, d'accord ? T'as pas un peu d'alcool planqué dans une poche, sous tes airs règlement-règlement ?

Prentice consentit à faire don d'une flasque de cordial qu'il conservait comme beaucoup de soldats dans la poche intérieure de sa vareuse. J'en bus une gorgée, ce qui m'aida à recouvrer un peu mes esprits.

— Des papillons, lieutenant, haletai-je, voilà ce qu'il y a dans ce cahier, des dessins de papillons d'une espèce rare à laquelle certains indiens pomos ont dédié un culte dans les monts Klamath. Un scientifique est mort pour l'avoir découvert, et l'un de mes amis a été enlevé, dont je suis sans nouvelles depuis. Mais vous n'avez rien entendu de tout cela, n'est-ce pas ? Cet homme n'est pas supposé se trouver ici. Il n'existe pas. Reconduisez-nous au bateau.

J'estimai que nous n'avions plus rien à faire au fort d'Alcatraz, et s'il n'avait tenu qu'à moi, je serai reparti en courant. Hélas, Prentice m'enleva mes illusions.

— Par ordre du colonel Seward, je ne peux vous faire reconduire à San Francisco ce soir.

— Pourquoi donc ?

— Trop dangereux. C'est une vraie tempête qui s'annonce et les courants ici sont meurtriers. La navette reste à quai jusqu'à demain matin. Mais nous possédons des chambres d'officiers inutilisées. Nous pouvons vous héberger pour la nuit. Je vais prévenir l'intendance.

Il avait raison. Il pleuvait à seaux et la houle s'était creusée de façon significative dans la lumière solitaire du phare. Etait-ce la seule raison pour laquelle le colonel tenait tant à nous retenir ? J'en doutais sérieusement. Impossible cependant de faire autrement.

— À condition que mon adjoint indien soit des nôtres, répliquai-je. Et ne me dites pas qu'un Peau-Rouge peut supporter de passer la nuit dehors par ce temps...

Il devina au ton de ma voix qu'il serait inutile d'objecter quoi que ce soit. Tandis qu'Elly et moi redescendions à l'embarcadère sous bonne escorte, ma collègue me glissa à l'oreille :

— Tu as eu une de tes visions, pas vrai ? m'interrogea-t-elle avec anxiété. De celles qui te font voir les pensées des joueurs de poker. C'est revenu depuis longtemps ?

— Depuis Trader Camp. J'aurais préféré ne plus en avoir.

— Tu finiras par y rester, tu sais ça ? me reprocha Elly. Ou comme Wardrop, ton autre moi s'évadera de ton corps pour se réfugier on ne sait où.

Armando se tenait à la place exacte où nous l'avions laissé, planté tel un piquet, les bras croisés, indifférent à la pluie qui ruisselait sur son visage et détrempait ses vêtements.

— Tu aurais aussi bien pu te mettre à l'abri, lui fis-je remarquer.

— Oui, mais j'aurais eu un comportement de Blanc. Et je suis un Navajo.

— La Femme Changeante serait-elle contre si on t'offrait un repas et un lit pour la nuit ?

— Avec des serviettes ?

— Je parie que oui.

Armando leva les yeux vers le ciel cisaillé d'éclairs.

— La Femme Changeante dirait qu'il s'agit d'une honnête proposition...

13. VISITEURS NOCTURNES

Durant tout le repas, les officiers du fort ne nous adressèrent pas la parole. Ils nous dévisagèrent souvent, à la dérobée, avec un mélange de curiosité et de mépris discret, si bien que nous ne fûmes que trop heureux de gagner les chambres mises à notre disposition. Ce n'étaient à la vérité que de petites cellules aménagées avec un confort très sommaire. Incapable de trouver le sommeil, je restai longtemps devant la fenêtre clôturée d'épais barreaux, à observer le ressac furieux qui battait le rocher fortifié. De l'autre côté de la baie, les joyeuses lumières de San Francisco étagées sur les collines évoquaient le reflet d'un univers de bonheur insaisissable. Je ressassais les étranges propos de Wardrop. Il ne s'agissait pas des simples divagations d'un fou. Ma vision extraordinaire pouvait en témoigner. La chamane des Pomos était bien au cœur de l'énigme, la clé du rituel... À chaque fois que j'ébauchais une tentative de reconstruction des faits, je me retrouvais toujours sur le seuil de la salle de prière, sous les monts Klamath. Tout convergeait là. Tout.

Lassé par mes propres obsessions, je finis par défaire ma cravate et m'allonger sur le lit. Je sortis la photographie de ma mère, dont je ne me séparais jamais. Je caressai pensivement son cadre doré bien fissuré par les ans tout en contemplant les traits réguliers de cette très belle femme brune. Qu'était-elle devenue ? Était-elle encore de ce monde ?

N'y tenant plus, je sortis de ma chambre sur la pointe des pieds pour frapper à la porte voisine.

— Elly ? Tu dors ?

N'obtenant pas de réponse, je pesai sur la poignée. À mon grand étonnement, ma collaboratrice ne s'était pas enfermée. Alors que je m'approchais du lit, le cœur battant, j'entendis le cliquetis d'une arme contre ma tempe et la voix de la jeune fille chuchoter dans mon oreille :

— Encore un pas, et je t'explose la tête !

— C'est moi, Elly.

— Je vois bien que c'est toi, mais ça ne change rien au problème. Tu es dans MA chambre à trois heures du matin.

— Je... Je venais voir si tout allait bien.

Mon explication n'avait rien de bien convaincant mais mon ombrageuse collègue s'en satisfit et remisa son pistolet Remington Pocket dans son corsage.

— Je suis bien réveillée, tu peux donc retourner te coucher.

— Avant, j'ai besoin de savoir... La rengaine que tu chantais dans ce saloon de Redding, *What's wrong with you* ? la femme qui te l'a apprise, cette Daisy Montel, tu...

— C'est pas vrai ! se récria Elly. C'est pour ça que tu me déranges ? Tu ne pouvais pas attendre demain ?

— Réponds-moi, et je te fiche la paix.

— Le problème avec toi, Galore, c'est que tu ne fiches jamais la paix à personne. Sous tes airs de dandy, tu es comme un molosse qui n'a de cesse de gratter le sol jusqu'à ce qu'il ait trouvé un os.

— Quelle ingratitude ! Je t'ai sauvée d'une vie misérable dans les bouges, au contact de soiffards qui te déshabillaient du regard. J'ai passé mon enfance dans des saloons à vider les crachoirs, je sais de quoi je parle.

— Non, tu as brisé ma carrière, voilà ce que tu as fait. Tu ne m'as jamais plu, et ça, depuis le premier jour où on s'est vus.

— Quoi ? Pas même une minute ?

— Laisse-moi compter. Il y a soixante secondes dans une minute ? Non, même pas une seconde.

— Tu n'es pas aussi mauvaise que tu veux le montrer. Dis-moi où je peux trouver cette Daisy Montel qui t'a appris cette fameuse chanson...

Elly renversa délicieusement sa tête en arrière avec un soupir. Savait-elle à quel point elle pouvait parfois se montrer adorable sous ses manières de porc-épic ? Jamais plus qu'en cet instant, je ne fus aussi amoureux d'elle. Je le ressentais par tous les picotements qui parcouraient mon corps.

— Mon pauvre Neil ! Je sais ce que tu veux me faire dire, mais non, elle n'était sûrement pas ta mère.

— Qu'est-ce que tu en sais ? fis-je, vexé qu'elle ait deviné ce pourquoi je la pressais de questions. J'ai un portrait, regarde. Tu pourrais l'identifier ?

Je montrai mon petit cadre doré. Elly esquissa une moue.

— Sûrement pas. Ta mère était très belle. Daisy Montel faisait peur à voir sitôt qu'elle ôtait son maquillage de scène...

Elle marqua un temps, posa ses mains sur ses hanches, avant d'achever :

— J'ai eu la même pensée, figure-toi. Tu m'avais raconté la façon dont tu avais été abandonné quand tu étais gosse, et aussi le nom de cette chanson. Un soir, j'ai parlé de toi à cette Daisy Montel, je lui ai même dit ton nom...

— Tu... Tu as fait ça ? m'étouffai-je. Et alors ?

— Elle en a ri en se tenant les côtes, et m'a affirmé qu'elle n'avait jamais eu d'enfant, et que dans sa profession, c'était une chose interdite, à cause des hanches...

— Des hanches ?

— Oui, monsieur, les hanches des filles s'élargissent quand elles ont un marmot. Et c'est pour ça que je n'en aurai jamais non plus. Ça te dérange beaucoup si je continue de dormir ? Je veux avoir le teint frais demain, avec tous ces beaux militaires dans les parages... Le lieutenant Prentice m'a l'air d'un beau parti.

— Quel était le nom de ce cabaret, Elly ?

— Je ne connais personne de plus borné ! Il s'appelait *La Farandole*, et se donnait des airs français. Daisy Montel n'y est peut-être même plus. Tu sais, la vie d'une chanteuse, dans ces endroits...

— Fais de beaux rêves... conseillai-je d'une voix faussement affable.

J'allais partir quand Elly me rappela sur un ton plus grave.

— Neil, à ta place, je laisserais tomber. Quand tes parents t'abandonnent, c'est qu'ils ont une bonne raison pour le faire, et si par hasard ton chemin croise à nouveau le leur, ils n'ont pas très envie de regarder leur erreur en face. Même si tu retrouvais ta mère, tu crois qu'elle te sauterait au cou ?

— Tu as l'air de savoir de quoi tu parles...

— Mes parents m'ont vendue à une maquerelle de passage pour payer leurs dettes dans l'Oregon. Au moins, je sais à quoi m'en tenir à leur sujet.

— C'est ensuite que tu as vécu dans cette maison close, à La Nouvelle-Orléans ?

Elly devint pâle comme un linge.

— C'est avec ton sale paquet de cartes que tu as découvert ça ?

— Ça ne change pas l'opinion que j'ai de toi. Je suppose que c'est parce qu'Armando l'a découvert que lui, s'est éloigné de toi...

Elly resta une seconde bouche ouverte, et je compris que mes suppositions étaient exactes.

— Après tout, je m'en moque, s'exclama-t-elle, fataliste. Je croyais qu'un Indien était capable de supporter ce genre de vérité, lui plus que tout autre. Je me trompais. Oui, je le trouvais attirant, je me suis confiée à lui. Je lui ai raconté certaines choses sur mon passé, et là, j'ai vu qu'il ne me comprenait pas, qu'il me rejetait. Je me suis trompée sur son compte. Il vit dans un monde... Un monde différent, où tout doit être propre, noble. Le problème c'est que la vraie vie n'est ni propre ni noble, et sent parfois l'égout. Oublie ta mère, Neil, et oublie-moi. Sans rancune. C'est l'Amérique. Un jeune pays sans passé et avec tout l'avenir devant lui, comme nous.

Je méditais encore ces paroles pleines de bon sens et d'amertume une heure plus tard, alors que je me tournais et me retournais sur mon lit en espérant m'assoupir. Au bout d'un moment, un frisson me parcourut tout entier et j'eus la prémonition de n'être plus seul dans la pièce. Je me dressai sur mon séant, mon petit Derringer braqué devant moi… Et je la vis qui me lorgnait à l'autre bout de la pièce, un sourire aux lèvres, aussi réelle que possible… La chamane, vêtue comme la fois où je l'avais rencontrée dans les hauteurs de Trader Camp, en redingote et coiffée de son chapeau haut de forme, avec ses colifichets autour du cou, et son sifflet d'os orné de plume. Elle me souriait en agitant quelque chose entre ses mains, une chevelure grouillante qu'elle éleva lentement à hauteur de son visage hideux… Des serpents blancs, que l'on devinait venimeux à leur simple aspect laiteux et repoussant. Elle les jeta dans ma direction et je bondis du lit en poussant un cri de terreur.

À cet instant un violent courant d'air ouvrit la fenêtre à la volée, et les reptiles ne furent plus que filets de sable, qui se dissipèrent sur mes draps chamboulés.

La chamane manifesta son dépit en crachant par terre et elle grommela une sorte de malédiction avant de disparaître. J'entendis alors un murmure dans ce vent tiède qui balayait la chambre.

— Kuksu, pèlerin… C'est de Kuksu en personne qu'elle tient son pouvoir. Le pouvoir de commander aux éléments. Le pouvoir de commander aux Ogres Rouges…

Une silhouette se forma à l'extrémité de la pièce, grise de poussière, le visage empreint de gravité. Je n'eus aucun doute sur son identité, et sans même m'interroger sur le sortilège qui avait pu le conduire jusqu'à moi, je m'écriais avec ferveur.

— Weyland ! Parlez-moi ! Que voyez-vous ? Où êtes-vous ?

— Il fait noir, pèlerin. Je ne vois rien, mais je parierais la queue d'un opossum que je suis toujours avec eux, dans la montagne. Un nouveau rituel se prépare. Méfie-toi. Ils te veulent. Ils pensent que tu es le fils de Wardrop et que comme lui, tu as un certain penchant pour le mal.

— Ils se trompent. Weyland, dites-moi que vous allez bien !

— Ne reviens pas dans les Klamath. N'y reviens jamais.

Tant de questions se pressaient sur mes lèvres, mais je n'eus pas le loisir de les formuler... Je tendis la main pour le retenir, mais la vision de mon ami s'émietta, puis disparut complètement. Je mesurai l'effort prodigieux qu'il avait probablement accompli dans sa situation pour me visiter de la sorte. Ainsi, lui aussi détenait la force du Puha, la capacité à quitter son corps pour se déplacer en un autre lieu. Comme Wardrop. Comme Allan Pinkerton en personne. Il avait bien caché son jeu, jusqu'alors...

À cet instant, une énorme explosion retentit, aussitôt suivie du tintement lancinant d'une cloche d'alarme. Mon cœur se glaça. J'éprouvai un terrible pressentiment. Arme au poing, je me précipitai dans le couloir où se pressaient déjà les soldats, chemises ouvertes et bretelles pendantes.

— Qu'est-ce qui se passe ? crièrent-ils.

— C'est une évasion ! répliqua quelqu'un du haut de l'escalier.

D'instinct, je compris ce qui s'était passé. Je me faufilai comme une anguille parmi les militaires aux abois, pour foncer jusqu'au quartier de haute sécurité. La grille était grande ouverte. Des gardes sévèrement blessés gisaient sur le sol parmi un éboulis de pierraille. Je les enjambai sans m'arrêter pour débouler sur le seuil de la cellule de Wardrop. Le prisonnier n'était plus là. Un trou béant ajourait le mur donnant sur la baie.

Par-dessus tout, j'entendis un grondement sourd et continu que j'aurais reconnu entre mille... Celui-là même que j'avais entendu lorsque je me trouvais au fond du puits de mine. Et ce souffle, pareil à celui d'un dragon, qui balayait les environs... N'écoutant que mon désir de savoir, je me penchai au-dessus du vide. Quelque chose s'élevait dans la nuit. Et la pluie et le vent eurent beau me griffer, j'aperçus un monstre volant qui disparaissait dans les replis des nuages orageux.

14. UNE SORTE DE CAUTION MORALE

Sanglé dans son uniforme impeccable, le colonel Aaron Seward du 6e régiment d'artillerie replia sa longue-vue avec un frémissement de moustache. La fenêtre de son bureau, au sommet du fort d'Alcatraz, lui offrait un point de vue imprenable sur la baie où s'enchevêtraient dans un imbroglio indescriptible de mâts et de gréements les navires marchands faisant escale. Espérait-il découvrir quelque trace du monstre aérien qui avait emporté son prisonnier ? Il parut néanmoins retirer certains enseignements de cette observation inutile car il nous lança, sans toutefois daigner se retourner :

— Messieurs, et vous, mademoiselle, considérez-vous aux arrêts militaires. Que vous appartenez à l'Agence Pinkerton m'indiffère totalement. D'ailleurs, j'ai toujours pensé que cette officine outrepassait les pouvoirs que le Président avait eu la folie de lui confier.

— Je proteste énergiquement, mon colonel, répliquai-je fermement, peu enclin à m'en laisser compter par cet officier d'opérette. Nous étions en mission officielle hier, nous le sommes encore ce matin.

— Oui, mais ce matin, notre seul détenu s'est volatilisé, s'emporta Seward en me toisant d'un œil ombrageux. Et par une extraordinaire coïncidence, le jour même où vous lui rendez visite, lui qui n'en avait reçu aucune après des mois de captivité. Vous permettrez, jeune homme, que j'aie quelques soupçons quant à votre complicité dans cette regrettable affaire.

Sur ces paroles bien senties, il couva Armando d'un regard méprisant.

— Est-ce que je n'avais pas formellement interdit à cet Indien de pénétrer dans l'enceinte d'Alcatraz ? Personne n'est donc informé que nous sommes en guerre avec ces maudits Peaux-Rouges un peu partout dans le pays ? Une fois pour toutes, ce sont nos ennemis. Ils refusent le progrès que notre civilisation leur apporte. Prentice ?

— Je... C'est exact, mon colonel, tenta de se justifier le lieutenant en se mettant au garde-à-vous. Seulement, l'agent Demayo... Enfin, vous savez bien... C'est à cause de la tempête... Il ne pouvait décemment dormir sur l'embarcadère, mon colonel.

— La peste soit de la générosité de l'armée ! grommela Seward. Peu importe, il sera traduit en cour martiale comme les autres.

— Oh, cela, j'en doute beaucoup, colonel...

Celui qui avait parlé était un civil d'une cinquantaine d'années portant un manteau de voyage gris. Sa haute taille, sa distinction naturelle, mais tout autant l'expression de son visage impavide au bouc bien taillé, en imposaient terriblement, même à ces militaires revêches. Il lissa ses cheveux cendrés avant d'allumer tranquillement un petit cigare dont il exhala avec raffinement une bouffée bleutée. Je reconnus l'homme à l'odeur de tabac mexicain bien plus qu'à son apparence, et un sourire me vint aux lèvres.

— Et vous, s'agaça Seward, d'où sortez-vous, et qui vous permet de pénétrer ainsi dans des locaux militaires ?

Mr. Leonard Price, chef de la Branche Spéciale de l'Agence, tendit sa carte de visite comme il l'eût fait dans un salon mondain.

— Je suis une sorte de caution morale, glissa-t-il.

— Et quand bien même, je proteste ! s'empourpra Seward. Il est évident que vos trois agents sont de mèche avec ceux qui ont enlevé Wardrop. Vous n'allez pas me dire qu'ils ne font pas partie d'un complot ourdi par votre satanée Agence ?

Price toisa le chef du fort récalcitrant avec un sang-froid teinté d'ironie.

— Vous prêtez à Mr. Pinkerton des intentions peu louables, et vous avez tort. Nous luttons contre le crime, nous ne l'organisons pas. L'agent Galore et ses détectives mènent une enquête dont la rapidité a visiblement pris nos adversaires de court. Ils ont décidé de se découvrir et d'agir dans la précipitation, ce qui constitue pour nous un point positif. Nous ne sommes pas au bal des cadets, colonel. Nous livrons une partie d'échecs contre des assassins, des personnages puissants et sans scrupules qui complotent contre l'État. J'en appelle donc à votre raison pour libérer mes trois enquêteurs. Chaque minute qui les retient inutilement favorise nos ennemis.

Le commandant du fort ne voulut pas en démordre, et décida d'engager le fer.

— Je me fiche de savoir qui vous êtes, Price. Je me fiche de savoir dans quelle affaire votre misérable officine de détectives privés s'est engagée. Vous êtes ici dans une juridiction militaire, que diable, et ces hommes resteront sous ma garde aussi longtemps que je le jugerai bon. Seul le Président des États-Unis pourrait me contraindre à les relâcher !

Leonard Price leva les yeux au ciel d'un air accablé, comme si cette réaction l'obligeait à une démonstration qu'il eût préféré éviter. Du bout des doigts, il tendit une petite enveloppe cachetée. À la vue du cachet bien visible, Seward devint aussi pâle que son col de chemise amidonné. Il ouvrit la lettre, et cette fois, son teint devint couleur de piment.

— Par exemple, c'est un scandale ! Vous autres, maudits... Pinks !

Sur ces paroles bien senties, il tourna les talons, aussitôt suivi par son escorte non moins indignée.

Leonard Price ne nous adressa pas un mot jusqu'à ce que nous fussions à bord de l'embarcation à vapeur, et que la brume matinale eût estompé le lugubre îlot. Ce fut alors pour mieux m'accabler :

— Décidément, Galore, votre mission est un fiasco sur toute la ligne ! Vous deviez arrêter Angus Dulles, raté. Découvrir quel était l'intérêt que portait la Californian Prospect aux mines des monts Klamath, raté. Établir une connexion entre la Brigade Pâle et les Indiens Pomos. Raté. Pour couronner le tout, Wardrop s'est échappé du fort le mieux gardé des États-Unis... En dehors du fait que vous avez réussi à réintégrer deux agents déserteurs, apprenez-moi une chose qui vienne éclaircir ce tableau ?

— Nous ne sommes arrivés qu'hier, plaidai-je. Après mon entrevue avec le professeur Larrymore, j'ai suivi mon intuition en venant interroger Wardrop. Je ne m'étais pas trompé. Il a violemment réagi à la vue du cahier de Driscoll. Il a lâché quelques phrases incompréhensibles au premier abord... Il a évoqué une certaine chamane. Je sais de qui il s'agit. Elle détient le secret d'un rituel, voué au culte d'un papillon à la longévité surnaturelle.

— L'Ogre Rouge ?

— Quoi ? Vous connaissez son existence ?

— Le professeur Anton Driscoll était un des nôtres, Galore. Il nous avait récemment remis un rapport sur l'existence possible d'un nid d'*Anthrocharis Resitans* sur les hauteurs de Trader Camp, et de la possibilité que cet étrange lépidoptère soit relié au cérémonial qui voit la naissance des mercenaires de la Brigade Pâle. Il voulait s'en assurer, seul, et discrètement. Nos ennemis l'ont repéré. Pourquoi pensez-vous que je vous aie dépêché chez ces chercheurs d'or ?

— Vous auriez pu m'informer de ces détails avant mon départ

— Je voulais des preuves formelles, fournies par un esprit neuf. Le vôtre. Vous avez obtenu une confirmation ? Fort bien. Quoi d'autre ?

— Selon le professeur Larrymore, les Ogres Rouges peuvent rester sous terre des années avant de reparaître au grand jour pour se reproduire.

— Pauvre Larrymore ! s'exclama Price. Il semblerait que ces maudits papillons portent malheur à qui s'intéresse à eux de trop près.

— Pourquoi ? tiqua Elly. Il lui est arrivé quelque chose ?

— Sa maison a été incendiée, ses travaux détruits, mademoiselle. Nous avons retrouvé son corps carbonisé dans les décombres, juste à côté d'un globe de verre brisé, auquel il semblait tenir plus que sa vie.

— C'est celui qui contenait un Anthrocharis vivant, peut-être vieux de plusieurs siècles, attestai-je. Le joyau de sa sublime collection.

— Dulles, soupira Armando. C'est Dulles. Il met le feu à tout ce qu'il touche...

Une conclusion identique m'avait traversé.

— Il est donc en vie, résumai-je. Il a échappé à la chute dans le torrent. Mon avis serait de retourner au plus tôt dans les monts Klamath. C'est là-bas que se trouve la clé. Cette nuit, j'ai eu la vision... La vision de Weyland... Il est là-bas, c'est certain.

— Je ne l'autorise que si vous pensez retrouver Wardrop dans le même temps, lâcha Price. Allan... je veux dire, Mr. Le Directeur, estime qu'il devient notre priorité.

— Je n'ai aucun doute là-dessus, assurai-je. Tout s'est passé très vite la nuit dernière, mais je suis certain que c'est une chose volante qui a emporté le prisonnier. Je ne l'ai aperçue qu'un instant...

— Parlons-nous d'un être supérieur doué d'ailes ou d'un engin dont la construction aurait échappé à nos services ? questionna Price.

— Une charge explosive a été placée à l'extérieur du mur, parfaitement dosée pour en venir à bout sans blesser l'occupant de la cellule. Il aura suffi de lancer une échelle de corde à Wardrop pour l'extraire par la voie des airs. Je parie pour une machine. J'ai entendu un grondement sourd. Peut-être une hélice... Ou un battement d'ailes, je ne saurais dire.

— Aux yeux de nos adversaires, Cecil Wardrop possède donc encore une grande valeur en dépit de son état, résuma Price. Sans quoi ils l'auraient purement et simplement éliminé. Laquelle ?

Ne trouvant aucune réponse à sa question, il alluma un nouveau cigarillo, dont il recracha la fumée dans le vent tourbillonnant de la baie. Un instant plus tard, nous accostions parmi les filets de pêche et les tonneaux de saumure. Tandis que nous remontions à grands pas vers le cœur de la ville, une évidence se fit jour en moi.

— Seule cette chamane pomo détient la réponse, diagnostiquai-je. Elle est peut-être encore ici, à San Francisco, hébergée dans le bâtiment de la Californian Prospect en attendant de retourner dans les Klamath. N'oublions pas ces prospecteurs louches. Leur directeur Kieron Morley était déjà mouillé dans l'affaire du Transcontinental. Il l'est probablement cette fois encore.

— Qu'attendez-vous pour l'interroger ? s'agaça Price.

— Malheureusement, nous n'avons même pas pu franchir son seuil la dernière fois. La Brigade Pâle monte la garde nuit et jour devant sa porte.

Price me considéra comme si je venais de proférer une insanité.

— On ne ferme pas sa porte au nez des représentants de l'Agence. De par le président des États-Unis en personne, nous avons tous pouvoirs pour pénétrer en tous lieux, à chaque instant. Faites ce que vous avez à faire.

L'ordre était on ne peut plus clair. J'imaginais déjà la joie de Gideon Cross.

15. EXPÉDITION PUNITIVE

— *Un monstre a attaqué Alcatraz ! Photographie sensationnelle ! !*

À chaque coin de rue, les crieurs de journaux s'égosillaient pour attirer la curiosité des badauds en brandissant le dernier numéro du *San Francisco Chronicle.* Si j'avais espéré de voir la nouvelle passée sous silence, c'était raté. La malchance avait voulu qu'un photographe amateur cadre dans son objectif la créature fantastique que j'avais aperçue un bref moment parmi les nuages. Le cliché était assez flou pour permettre toutes les suppositions : une forme ailée improbable aux proportions dignes d'un vaisseau cuirassé, disparaissant entre deux éclairs...

Mes amis et moi poussâmes la porte du bureau de l'Agence, où plus que jamais régnait une activité industrieuse. Gideon Cross se trouvait en pleine réunion avec plusieurs de ses agents, à peine plus âgés que lui. Toujours en bras de chemise, il devisait avec animation tout en indiquant des points sur une carte de la région avec un crayon. En nous voyant, il interrompit son plan d'action et un sourire éclaira son visage.

— Vous croyez ça ? s'exclama-t-il. Vous n'êtes pas plutôt arrivés depuis deux jours que nous voici au cœur d'un véritable mystère !

Comme il me tendait avec enthousiasme la presse du matin, je déclinai d'un geste.

— Inutile. La nouvelle est partout.

— Vous l'avez vu ? m'interrogea Gideon. Le monstre des airs, celui qui a attaqué Alcatraz ?

— Rien qu'un instant, mais...

— Quand partons-nous à sa poursuite ?

— Tu en as de bonnes, mon mignon, lui opposa Elly. Quelle direction tu suggères ? La lune ?

— Le seul qui puisse nous informer, tempérai-je, se trouve précisément au coin de la rue. Et j'ai l'intention d'aller lui poser mes questions, cette fois sans me faire arrêter.

— Mais bien sûr, se réjouit Gideon en se frottant les mains de plaisir, quelle belle occasion pour perquisitionner les locaux de la Californian Prospect... Ces beaux messieurs sont probablement de mèche, et Kieron Morley au premier chef. Vous avez un mandat ?

Je désignai l'armoire emplie de fusils qui trônait dans un angle de la pièce.

— J'en vois au moins une dizaine là-bas. Vous avez les munitions que j'ai commandées ?

— L'armurier avait déjà préparé une caisse entière, pour laquelle je n'ai eu qu'à signer un bon. Vous êtes un sorcier, Neil.

— On va vérifier ça très vite... Je vous suggère de rassembler votre monde et de prévoir un fourgon. J'entends mener des arrestations.

— C'est ce que j'appelle parler, apprécia Cross. J'attendais ce moment comme le jour de mon anniversaire. Le mystérieux Mr. Price est en ville. Il sera des nôtres ?

— Il est retourné à son hôtel. Le privilège des supérieurs, Gideon.

Sur ces paroles, je bourrai mes poches de cartouches et m'emparai d'un gros fusil à deux coups. Puis je vérifiai le bon chargement de mon petit Derringer, qui pouvait être fort utile dans un combat rapproché. Outre Armando, Elly, et Cross, j'eus bientôt autour de moi une dizaine d'agents prêts à en découdre comme nous même.

— On aura fort à faire, prévins-je. Ces types n'ont rien d'humain. Ce sont des êtres froids, sans pitié. Ils vous tireront dessus sans hésiter, à moins que vous ne les abattiez avant. Ce sera eux ou vous. San Francisco va découvrir ce que Pinkerton signifie...

À la vue du fourgon qui débarquait nos agents bien vêtus en costume de ville, armés jusqu'aux dents, et arborant leurs étoiles officielles au revers du veston, les passants comprirent aussitôt qu'il se préparait du grabuge et se hâtèrent de faire place nette. Je pris la tête du groupe aux côtés de Gideon Cross, Armando et Elly couvrant nos arrières, les autres marchant en quinconce, les mâchoires serrées, les yeux mobiles. Nous traversâmes le carrefour au su et au vu des vigiles qui fanfaronnaient sur le seuil de la Californian Prospect. Ceux-là mêmes qui nous avaient éconduits avec tant de vilaines manières la veille...

Ils comprirent à notre allure déterminée que toute négociation serait inutile, et dégainèrent leurs revolvers... nous dispensant ainsi de la moindre sommation. Nous, les Pinkerton, fîmes parler nos imposants fusils sans ralentir le moins du monde notre avance. En quelques instants, la fumée des armes emplit la rue et le fracas des détonations aurait pu passer pour les pétards d'une fête chinoise. Les vigiles de Morley ne devaient pas s'attendre à ce que nous connaissions leur point faible... Fauchés par les balles Minier, ils tombaient en poussière un à un aux abords de la véranda, fondant littéralement sous leurs vêtements amples. Ceux qui parmi nous n'avaient jamais assisté à ce phénomène marquèrent un temps de stupeur.

— Aucune importance, les haranguai-je tel un vieux briscard. Continuez à tirer !

Les tirs reprirent de plus belle. Les balles sifflaient de partout, et je dois avouer qu'une fois la première peur passée, je savourai cet extraordinaire moment : suspendu entre la vie et la mort, j'avais le sentiment que le monde autour de moi ne tournait plus qu'au ralenti. Le bruit même de la bataille s'assourdit, et les cris, et les piétinements. J'abandonnai mon fusil vide pour saisir mon Derringer, avec lequel j'abattis froidement le meneur de la bande, celui-là même qui nous avait pris de haut la veille. Je m'approchai sans état d'âme de ce qui restait de sa dépouille décomposée et, du talon, écrasai sa montre à gousset qui dépassait de son gilet.

— Qu'est-ce que vous faites ? s'étonna Cross à mes côtés.

— Écrasez leur montre. Sans poser de questions.

J'étais dans un état second, baignant dans une ivresse mêlée de fureur. Je serais bien en peine de reconstituer la façon dont je me retrouvai au premier étage, à défoncer la porte du bureau de son éminence Kieron Morley. Pris au piège, il se tenait très droit près de la fenêtre donnant sur l'arrière-cour, peut-être tenté par la fuite. Une expression d'indignation et de stupeur mêlées torturait son visage épaté aux sourcils fournis. Il lissa soigneusement ses cheveux plaqués sur son front, rajusta ses lunettes à montures d'acier avant de prendre une pose indignée, censée nous intimider :

— Vous êtes devenus tous fous ! s'écria-t-il. Ce carnage vous coûtera cher. Vous aurez des comptes à rendre ! De quel droit ?

— Entrave à la force publique. Résistance à agent. Vieille rancune. Choisissez l'excuse qui vous plaît, Morley. Vous auriez dû accepter de nous recevoir hier...

— Je vous reconnais, vous savez ! Vous êtes ce jeunot qui traînait derrière le vieux Weyland à Sacramento... Sortez d'ici ! Vous n'avez pas le droit !

Je plaquai le mandat sur le bureau, retournai sèchement mon bonhomme face au mur pour lui passer les menottes aux poignets.

— J'ai tous les droits, Mr. Morley. Je ne dors jamais.

Je sentis qu'il ne s'abaisserait pas à opposer de résistance physique. Sa belle assurance s'émietta quand je le poussai un instant plus tard au fond du fourgon. Il commença à trembler, tel un vulgaire comptable pris en flagrant délit de fraude fiscale.

— Laissez-moi sortir, Galore, me lança-t-il alors que je refermais la porte blindée. Vous ne savez pas ce qui est en jeu ici ! Non, vous ne savez rien !

16. MAUVAISE CARTE

Quand je pénétrai dans la salle d'interrogatoire mise à ma disposition par Gideon Cross, une heure plus tard, je trouvai Kieron Morley immobile sur sa chaise, l'air absent, les mains menottées jointes sur son gilet de soie. À peine si sa belle mine de rapace s'assombrit davantage quand il me découvrit sur le seuil de la pièce vide.

— Vous voici enfin ? lança-t-il. Vous croyez venue l'heure de votre triomphe ? Vous en êtes loin.

Satisfait de sa déclaration, il rajusta ses lunettes à monture d'acier avec ce petit geste irritant qui m'exaspérait, et fixa la pointe de ses chaussures. J'éprouvai l'impression bizarre qu'il avait repris une certaine assurance, comme si au fond tout cela n'avait plus la moindre importance.

— Décidé à coopérer ? m'enquis-je.

— Bien entendu, répliqua cet arrogant col blanc. Je serai ravi d'apporter mes lumières à un représentant de la trop fameuse Agence Pinkerton. En qualité de témoin, bien sûr, car pour m'inculper de quoi que ce soit, vous ne disposez d'aucune preuve.

— Non, mais de présomptions assez graves pour vous arrêter et vous juger. Vous êtes accusé de complicité de meurtre sur les professeurs Driscoll et Larrymore, ainsi que de complot en bande organisée.

— Complot ? Vraiment ?

— Vous avez engagé des tueurs notoires en guise de vigiles. De ceux qui sont poussière et retournent à la poussière, comme dans la Bible.

— Vous blasphémez, par-dessus le marché !

— Les crapules n'ont pas de leçons de morale à donner.

— J'entends là un vrai discours de Pinkerton. Aucun doute. Vous avez été bien formé, Galore. Mais réfléchissez un instant : quelle cour de justice croira à vos arguments quand vous avancerez ces faits ? Des tueurs doués de certains pouvoirs dont les cadavres se seront mystérieusement volatilisés ? Des rituels indiens permettant d'accéder à la longévité ?

Je m'assis en face de lui, en jouant négligemment avec mon jeu de cartes. Je savais qu'il n'avait pas tort, et qu'à cet exercice de la manipulation, il était plus doué que moi.

— Vous êtes qui au juste dans cette histoire ? le harcelai-je. Un pied dans la construction des Chemins de Fer, un autre dans la prospection minière... Les deux dans des affaires criminelles non résolues... Éclairez-moi, je vous prie.

— Je suis le représentant légal de plusieurs sociétés pour la côte Ouest, jeune homme. Pas le propriétaire, notez bien. Ceux-là sont ailleurs, une poignée d'hommes puissants qui pourraient vous briser à distance, d'où ils sont, sur un simple télégramme...

— Des adorateurs des Ogres Rouges ? Non plus des militaires désirant gagner leur guerre, mais des civils avides de pouvoir ?

Malgré tout son talent de dissimulation, la petite phrase fit mouche. À l'évidence, il n'avait pas imaginé que mes investigations avaient porté aussi loin.

— Je ne sais pas de quoi vous parlez, agent Galore. Je ne suis qu'un rouage dans la machine.

— S'agit-il d'une sorte de conseil d'administration, d'une loge secrète qui tente par tous les moyens de gagner autrement une guerre que ses membres ont perdu militairement ?

— Je ne sais rien.

— Ils font de très mauvais hommes d'affaires, en tous les cas. Les gisements que vous avez acquis en leur nom sur les hauteurs de Trader Camp n'ont aucune valeur. À part quelques fresques anciennes...

— Nous devons prendre des risques. Parfois nous gagnons, parfois nous perdons. C'est la règle dans les affaires.

— La concession qui m'intéresse est celle que vous avez fait garder par Angus Dulles jusqu'à ce que je vienne l'arrêter.

— Qui est Angus Dulles ?

— Vous le savez parfaitement : un incendiaire forcené recherché dans trois États, membre de la Brigade Pâle chez qui vous recrutez vos hommes de main.

— C'est étrange, agent Galore, mais j'ai l'impression que nous avons déjà eu ce genre de conversation. Une grande compagnie comme la Californian Prospect engage une armée d'employés : géomètres, géologues, photographes, éclaireurs, et bien sûr gardes du corps... elle ne saurait être comptable du parcours personnel de chacun.

— C'est étrange, Mr. Morley, j'ai l'impression que vous m'avez déjà fait la même réponse à l'époque où le Chemin de Fer employait comme policiers d'autres membres de la Brigade Pâle, dont le très notoire Cecil Wardrop. Toujours à votre initiative. Je vais vous dire ma façon de penser. Vous appartenez à ce cercle de comploteurs, de Sudistes vaincus et nostalgiques qui veulent prendre leur revanche. Vous êtes leur représentant pour la côte Ouest. Je crois que ce club, cette secte, cette bande, choisissez le terme qu'il vous plaira, a remis au jour certain rituel pour créer de nouveaux mercenaires sans âme. Quel instrument de corruption formidable ne détient-on pas avec un élixir de jouvence... Et c'est avec cet instrument que certains tissent apparemment leur toile dans l'entourage du pouvoir, à Washington, jusque dans l'entourage direct du Président Grant...

— Vous êtes trop influencé par les récits fantaisistes qui circulent dans la presse, mon jeune ami.

— Seulement par les rapports de l'Agence à laquelle j'appartiens. Vous et vos amis avez fait évader Cecil Wardrop la nuit dernière en utilisant un animal ou un engin aérien inconnus à ce jour...

— Vous croyez aux racontars de la presse ? Pfff...

Je poussai un paquet de cartes à jouer devant lui.

— Coupez.

— Je n'ai aucune envie de faire un poker, agent Galore. D'ailleurs, je crois que les Pinkerton n'y sont pas autorisés non plus. Les accusations que vous portez contre moi, contre la compagnie que je représente, sont de la plus haute gravité. Mes avocats vont vous briser. Nous ne sommes pas dans les plaines du Far West ici...

— Coupez, insistai-je d'un ton moins conciliant.

Détournant les yeux pour manifester son plus strict dégoût pour ce qui lui paraissait une simple lubie d'enquêteur, il s'exécuta. À peine eut-il retiré ses doigts du paquet reconstitué, je posai ma main dessus. Je fus aussitôt envahi par un torrent de visions aussi brèves que violentes. La pluie, le vent... La face blême et énigmatique de Wardrop... Une plage au nivelé particulier, bordée de falaises... Et au-dessus de ma tête, une ombre gigantesque et ténébreuse, à tête de papillon.

Je revins juste à temps de ma transe pour surprendre Kieron Morley qui s'apprêtait à me tirer dessus avec un pistolet habilement dissimulé dans sa manche. Je n'eus que le temps de rouler au sol. Ma chaise fut fracassée par la balle. Déjà mon ennemi se levait pour achever le travail. Un coup de feu claqua. Morley tournoya sur lui-même et roula sur le plancher. Sur le seuil de la pièce, Elly pointait encore son Remington Pocket fumant, le bras tendu, le visage impassible. Aussitôt, les autres déboulèrent, armes au poing. Ils s'étaient pourtant tenus dans la pièce voisine, d'où ils n'avaient rien perdu de l'interrogatoire, mais il s'en était fallu de justesse.

— Personne ne l'avait fouillé, ce sale type ? s'écria Elly en prenant Gideon à partie.

Armando se pencha au-dessus de Morley.

— Terminé pour lui. Son âme est partie grossir les rangs des esprits perdus qui errent indéfiniment.

Tandis que le Navajo m'aidait à retourner le corps, je crus déceler sur le visage livide l'expression satisfaite d'une crapule fière d'être allée au bout de son destin malfaisant.

— Avez-vous tiré quelque chose du paquet de cartes ? s'enquit Leonard Price en allumant l'un de ses petits cigares.

Il était apparu sans un bruit derrière nous et je supposai qu'il avait assisté à toute la scène. Je me hâtai de rassembler mes souvenirs.

— Donnez-moi un papier et un crayon, vite ! m'exclamai-je.

Gideon me tendit le nécessaire et je me mis à dessiner de mémoire, à la hâte, un paysage très nivelé, bordé d'une plage caractéristique, à même le plancher.

— Qui connaît cette côte ? demandai-je avec impatience en montrant mon croquis. Comme toujours, Gideon se montra plus fiable qu'une encyclopédie.

— Je dirais qu'il s'agit de Bodega Bay, assura-t-il. C'est une presqu'île au nord de San Francisco, qui n'est habitée que par des pêcheurs et des oiseaux. Surtout des oiseaux, d'ailleurs. Vous croyez que...

— Nous aurons besoin de renforts, prédis-je. L'engin volant est là-bas. Et peut-être aussi Wardrop et la chamane.

— Dans ce cas, décréta Price en soufflant la fumée de son cigare, j'appelle la cavalerie...

17. LE MONSTRE DE BODEGA BAY

Dès l'instant où je découvris le spectacle sauvage et magnifique qu'offrait la presqu'île de Bodega Bay, j'eus la conviction que ma vision ne m'avait pas trompé. Ces falaises effrangées battues par la mer et cette lande houleuse balayée par les tourbillons d'embruns correspondaient en tout point à ce que l'esprit de Kieron Morley m'avait laissé entrevoir...

Gideon Cross connaissait bien ces lieux, pour y avoir séjourné parfois, et c'est lui qui conduisit notre petit groupe jusqu'aux abords d'un village de pêcheurs blotti au fond d'une crique. Il se mit en devoir d'interroger ses habitants, hommes revêches et rudes à la tâche, qui lui opposèrent comme il se doit un silence soupçonneux. Pourtant, leurs mimiques indiquaient qu'ils savaient des choses... Pouvaient-ils ignorer que des événements exceptionnels s'étaient produits à leur porte ? Ils ne desserrèrent pas les dents pour autant et Gideon dut admettre son fiasco.

— Pas la peine. Ils ont peur. Au moins, ça penche en faveur de notre théorie. Le monstre des airs loge peut-être par ici...

— Il faut aller de l'autre côté de la baie, suggéra Armando.

Depuis un long moment, il observait les nuages bas comme s'il y déchiffrait des signes visibles de lui seul. Peu d'Indiens ont le don des Navajos pour suivre une piste, et cette qualité leur avait souvent valu d'être utilisés par l'armée. De là à imaginer que notre compagnon était capable de discerner un sillage abandonné par la bête que nous poursuivions, il y avait tout de même un pas ! Et pourtant, sans attendre notre approbation, il tourna bride au petit trot et contourna les masures pour se perdre parmi les collines.

Un peu vexé, Cross lança :

— Hé ! Le mieux serait de traverser à bord d'une barque ! C'est plus court que...

Il n'acheva pas. Elly et moi avions emboîté le pas de notre éclaireur, sûrs de son flair, et je fis signe à Gideon de nous rejoindre :

— Venez ! Il m'a déjà retrouvé en pleine montagne sans autre indice qu'un peu d'herbe couchée. Et puis il faudrait une armée pour ratisser le secteur, sans compter que si notre dragon est ici, nous devrons le prendre par surprise.

— J'aurais bien aimé que votre Mr. Price nous envoie effectivement l'armée, confia Gideon que cette expédition rassurait de moins en moins. Or il n'a même pas voulu nous accompagner. Il est bizarre, ce type.

— Tout le charme de la Branche Spéciale, Gideon. Il aime rester en retrait, mais je crois que nous pourrons compter sur lui le moment venu.

Elly poussa sa monture contre la mienne, et ne put s'empêcher de glisser :

— Seulement pour la cavalerie, il repassera ! Rien à l'horizon. J'ai déjà mal aux fesses d'avoir fait autant de chemin !

— Silence ! ordonna Armando qui avançait en conservant les yeux levés au ciel. Nous ne sommes plus très loin...

Sans la moindre explication, il fit volter son cheval dans une saignée parmi les dunes. Il avait l'air si sûr de lui que nous ne demandâmes aucune explication alors que nous trottions vers la partie la plus déserte, la plus inhospitalière de la presqu'île. Nous nous arrêtâmes enfin sur le seuil d'une plage étroite morcelée par d'énormes rochers, sentinelles menaçantes qui semblaient avoir été essaimées là par quelques cyclopes furieux. De hautes vagues balayaient par intermittence ce littoral préhistorique et certaines avaient tant de force que nous hésitâmes à nous y aventurer par crainte d'être emportés.

— Je ne sais pas nager, ronchonna Elly. Pas question que je traverse.

— Reste accrochée à ton cheval, conseillai-je, lui, il sait sûrement.

Armando descendit de selle pour s'abriter derrière des buissons.

— Pas plus loin, prévint-il. Il y a du monde là-bas.

— Il a raison, confirma Gideon Cross en vissant son œil à une longue-vue pliante. Je vois un guetteur caché sur ce col, au fond...

Il me prêta son instrument et, à mon tour, je scrutai minutieusement les environs. J'eus bientôt dans mon objectif un cow-boy vêtu d'un cache-poussière clair qui gardait le passage, un fusil posé sur la cuisse. À en juger par sa barbe, son teint blanchâtre, je n'eus aucun doute : encore un homme de la Brigade Pâle. Le point positif était que sa présence venait confirmer l'intuition quasi surnaturelle de notre ami navajo. Le point négatif était qu'il faudrait se débarrasser de lui pour approcher du but.

— Il ne nous a pas vus, assurai-je. Il a l'air d'être assoupi debout.

— Ces types-là ont donc sommeil de temps en temps, grinça Elly. Il y a au moins encore ça d'humain en eux.

— Pas question qu'on arrive à découvert, et en nombre, grimaça Gideon. Il nous verrait de trop loin, et avec ces vagues... Non, ce serait trop dangereux. Il faut trouver un moyen de... Bon sang !

Il n'eut guère le loisir de poursuivre. Devançant son plan de bataille, Armando s'était déjà fondu parmi la pierraille en direction du gardien.

— Quoi ? s'écria Gideon, médusé. Il n'est même pas armé. Il ne va pas affronter ce type seul ?

— Non, le tranquillisai-je. Il n'est pas seul... La Femme Changeante est avec lui.

— Vous croyez à ces sornettes d'Indiens ? Leurs esprits invisibles et tout le reste ?

— J'ai assisté à des manifestations de ces sornettes, Gideon... Je peux vous assurer qu'elles sont aussi réelles que vous et moi. Vous en avez eu la preuve pas plus tard que ce matin, devant l'immeuble de la Californian Prospect.

— Là-dessus, je ne veux pas me prononcer, argua mon compagnon, comme s'il voulait faire abstraction de cet épisode qui avait ébranlé ses convictions. Moi, je n'appartiens pas à la Branche Spéciale. Si votre ami Navajo rate son coup, je vous préviens, on charge !

— C'est le moment où j'aimerais bien revoir notre Mr. Price, confia Elly.

— Il n'est pas si loin, affirmai-je.

Balayant la mer avec ma longue-vue, je venais de repérer un panache de vapeur qui s'était détaché de l'horizon et grossissait à vue d'œil en se rapprochant de la côte. À coup sûr, il s'agissait d'un bâtiment de la marine, dont la présence n'était sûrement pas fortuite. Comme je reportais mon attention sur Armando, je le vis avec effroi qui sautait sur la sentinelle, poignard aux dents, à la façon d'un aigle s'abattant sur un lapin. À notre grand soulagement, il ne tarda pas à reparaître et nous adressa un signe nous conviant à le rejoindre. Nous remontâmes à cheval, et, profitant d'une accalmie du ressac, traversâmes la grève pour grimper jusqu'à lui. Il désigna du menton un cache-poussière vide empli de poussière grise gisant à ses pieds, et me montra avec fierté son coutelas indien :

— Cette lame a été bénie par les rituels navajos et plongée dans le sein de la Terre Mère pour acquérir sa force. Ce n'est peut-être pas une balle Minier, mais il existe bien des façons de vaincre les esprits mauvais. Regardez par là...

Il nous invita à nous glisser dans une échancrure rocheuse, au bas de laquelle nous découvrîmes une petite crique aussi bien protégée des vents que des regards. C'est peu dire que nous fûmes saisis d'effroi en découvrant la terreur ailée que j'avais entrevue la nuit de l'évasion à Alcatraz, sagement posée sur le sable. Chacun voulut s'emparer de ma longue-vue, mais je parvins à la conserver de haute lutte pour enfin découvrir la vérité sur la créature. Son apparence effrayante faisait indiscutablement songer à celle d'un formidable dragon tendu vers les airs, avec sa proue hideuse et ses ailes membraneuses... Non, il ne s'agissait pas d'un animal fantastique, issu de je ne sais quel passé préhistorique, mais d'un imposant vaisseau surchargé d'hélices à larges pales horizontales et de voiles nervurées. Quelle formidable ingéniosité avait donc créé pareil engin ? Quel ingénieur illuminé en avait imaginé les plans ? Ce monstre mécanique était ancré parmi les blocs, et, depuis la dunette arrière surélevée comme celle d'un antique galion espagnol, un homme longiligne en costume d'officier de la marine sudiste donnait des ordres à son équipage composé d'une douzaine d'hommes. Je ne parvins pas à distinguer son visage, mais une chose était sûre, il s'apprêtait à décoller à nouveau.

— Ils vont filer si on ne les arrête pas au plus vite, m'inquiétai-je.

— Tu crois que Wardrop est à bord ? suspecta Elly.

— Il n'y a qu'une façon de le savoir, répliquai-je.

En un clin d'œil j'avais troqué mon chapeau melon et mon manteau de ville pour m'affubler du cache-poussière de la sentinelle abattue. Je vissai le feutre sur mon crâne en abaissant le rebord sur mes sourcils, et je me frictionnai le visage avec la cendre du défunt – sans me préoccuper des mimiques angoissées de mes compagnons. Puis, détail primordial, je mis en évidence la chaîne de la montre d'Angus Dulles...

— C'est une idée stupide, Galore, s'alarma Elly. Tu ne feras pas illusion dix secondes.

— Tu dis ça parce que tu es folle de moi.

Elle m'aurait sûrement arraché les yeux si l'instant ne s'y était si peu prêté. Je fanfaronnais ainsi pour me donner contenance, mais en mon for intérieur j'étais d'accord avec elle : qu'espérais-je en agissant de la sorte ? J'aurais voulu apporter une réponse logique, mais simplement, je bouillonnais sous l'emprise du désir d'agir et de percer ce mystère, de découvrir l'identité de celui qui commandait cette formidable invention. Ni pour l'Agence ni pour retrouver Wardrop, mais parce que je sentais confusément que rien de plus important ne comptait dans ma vie.

Au moment de descendre dans la crique, j'entendis Gideon Cross qui marmonnait :

— Si ça tourne mal, on intervient. Je suis idiot. Ça va forcément mal tourner...

Fort de ces encouragements, je me glissai par le chemin de rocaille jusque sur la plage, et là, imitant cette démarche un peu raide et empruntée que j'avais observée chez les membres de la Brigade Pâle, je marchai droit sur le vaisseau. À une encablure de la coque, deux sentinelles s'approchèrent de moi, fusil au poing. C'est peut-être à cet instant que je réalisai à quel point ces gens n'avaient plus rien d'êtres humains. Ils en avaient l'apparence, les manières, mais obéissaient à une logique intérieure qui semblait exclure tout discernement, tout sentiment. J'écartai légèrement les pans du cache-poussière, afin de montrer la chaîne de montre. Les cerbères se consultèrent du regard, avant de décider que j'étais l'un des leurs... Bien qu'ils ne m'aient jamais vu de leur vie.

— Il y a encore tout ça à charger à l'intérieur... me lança l'un d'eux en désignant une pyramide de fret.

Je m'attelai à la tâche, et, une caisse sur l'épaule, gravis la passerelle pour me retrouver à bord de l'engin avec une facilité déconcertante. Je tentai de surprendre les traits du commandant, mais il me tournait le dos, penché sur une carte d'état-major. Je suivis la procession des hommes d'équipage dans la soute. Je parvins à me faufiler hors de leur vue et demeurai là, entre les ballots solidement arrimés. Dans mon enfance à Saint-Louis, j'avais déjà admiré de loin un ballon dirigeable en démonstration, mais ici c'était une tout autre invention, un véritable navire des airs. J'avais du mal à réprimer mon admiration, ma stupeur presque, devant cette charpente intérieure parfaitement ajustée, ces bordés renforcés de métal, ces rivets impeccables...

Quand les hommes d'équipage remontèrent, je passai à l'action.

Je me mis à fureter, à soulever les couvercles des caisses embarquées. Si seulement j'avais pu trouver un stock d'explosifs... Outre des armes et du ravitaillement probablement destinés à un long voyage, je ne découvris que des caisses de coquillages et des couvertures roulées. Dépité, j'explorai alors le fond de la cale, et là, mon attention fut attirée par un rideau tendu. Mon petit Derringer au poing, je m'en approchai avec prudence pour jeter un œil par l'interstice. Je découvris un réduit pouilleux, doté pour tout confort d'une misérable paillasse et d'une lanterne.

J'hésitai encore à entrer quand l'étoffe s'écarta brusquement devant moi. Le temps pour moi de reconnaître le visage hideux de la chamane, il me sembla qu'un morceau de mât me frappait la base du crâne.

18. LA THÉORIE DU CERCLE

Quand je recouvrai mes sens, j'étais assis sur une chaise, dans une minuscule cabine lambrissée d'acajou et décorée avec le raffinement d'un salon bourgeois. J'aurais pu me croire sur n'importe quel véritable navire, dans les quartiers d'un capitaine au long cours. Des instruments de navigation anciens et une peinture marine évoquant un détroit par gros temps contribuaient à cette illusion. Jusqu'à ce personnage en grand uniforme de la flotte sudiste qui se dressait devant moi. Je ne le reconnus pas au premier coup d'œil tant il semblait avoir rajeuni. Mon étonnement le fit partir d'un rire amusé sous lequel perçait une note de parfait cynisme.

— Quoi donc, agent Galore ? railla Excelsius Larrymore. Vous me trouvez changé à ce point ?

Je fronçai les sourcils. À quel point j'avais pu être naïf... Si confiant en mes dons exceptionnels de détective, je n'avais pas soupçonné un instant ce brave homme de professeur, souffrant du cœur, qui avait déployé des talents inouïs de comédien pour attirer ma sympathie. Et me tirer les vers du nez.

— À qui appartient le corps retrouvé dans votre maison incendiée ? me risquai-je.

— À mon infortuné domestique, que j'avais choisi pour sa ressemblance avec ma personne. Je n'avais pas le choix. Tôt ou tard, l'Agence Pinkerton aurait découvert le lien entre les Pomos et moi, et aussi la profonde rivalité qui m'opposait au professeur Anton Driscoll.

— C'est vous qui l'avez tué ?

— Dans ce cas, pensez-vous que j'aurais été assez stupide pour abandonner le précieux cahier dans l'une de ses poches, grâce auquel vous êtes remonté jusqu'à moi ? Non, ceci, c'est une bourde de Dulles. Il a surpris Driscoll en train de fouiner dans la grotte et l'a poussé dans le dos. Ce benêt n'a pas plus de cervelle qu'un écureuil.

— Je lui en ai fait souvent le reproche moi-même, soupirai-je.

Je sentis un contact dur et froid dans mon dos. En me retournant, je reconnus Angus Dulles en personne qui se tenait juste derrière moi et me dévisageait avec son sourire d'arriéré. Il écarta les pans de sa veste, juste assez pour que je distingue la montre qu'il m'avait reprise.

— Salut, Angus, me bornai-je à lancer. Je n'aurais pas cru que tu survivrais à la chute dans le torrent.

— Comme tu vois, je sais nager.

— Dommage.

— Je dois vous féliciter, Galore, fit mine d'apprécier Larrymore. Vous êtes plus malin que je ne le pensais. Comment diable avez-vous retrouvé mon vaisseau des airs ? Voilà des semaines que nous utilisons cette crique comme port d'attache et c'est la première fois que notre présence est découverte.

— Nous disposons d'un pisteur hors pair.

— Le Navajo, n'est-ce pas ? Celui qui ne disait pas un mot dans mon salon l'autre jour ? Vous appartenez à la Branche Spéciale, aucun doute. C'est la seule qui compte de tels surdoués dans ses rangs.

— Quel est votre rôle dans cette histoire de rituel ?

— Mon rôle ? Agent Galore... Je ne vous ai jamais menti. Au fil de mes explorations, j'ai découvert les grottes sacrées des Pomos ainsi que le culte qu'ils vouaient à l'*Anthrocharis Resitans*. J'en ai déduit qu'il existait un nid de ces lépidoptères dans les parages. Les Indiens et moi avons sympathisé. Il suffit d'adopter une attitude constructive, disons. Et puis ils raffolent des couvertures. Il fait si froid, sur les hauteurs de Trader Camp. Et puis aussi les coquillages. Ils adorent les coquillages. Cela tient à leur passé de pêcheurs côtiers, avant l'arrivée des Blancs...

— J'ai vu la cargaison. Vos amis font là une belle affaire ! Un nouveau rituel se prépare ? Une nouvelle fournée de tueurs dociles à la longévité inconnue va voir le jour ? Vous-même, professeur, semblez en bien meilleure forme qu'à la Société des sciences... Auriez-vous dévoré la pièce maîtresse de votre collection, l'Ogre Rouge qui se trouvait sous verre ?

Le visage de Larrymore se nervura subtilement, comme si j'avais touché un point faible. Laissant de côté le mépris souriant qu'il affectait depuis mon arrivée, il se pencha vers moi avec l'envie évidente de m'étrangler. J'entrevis en un clin d'œil le danger extrême que représentait cet homme épris d'un rêve impossible.

— La chamane m'avait prévenu en ce qui vous concerne. Vous avez les prédispositions de votre père. Vous connaissez la magie du Puha. Vous savez ce qu'est le Puha, n'est-ce pas ? Il n'est pas donné à tout le monde de maîtriser son incroyable pouvoir. Vous ferez une fière recrue, à présent que Cecil Wardrop ne nous est plus d'aucune utilité.

— Pourquoi vous être donné tant de mal pour le faire évader, dans ce cas ?

— Cher jeune homme, j'obéis aux ordres. Je ne suis qu'un rouage de la machine. Il semble posséder encore une certaine valeur aux yeux de nos actionnaires de l'Est.

— Morley a prononcé ces mêmes mots. Il en est mort.

— Je ne suis pas Kieron Morley.

— Et moi je ne suis pas Cecil Wardrop, si tant est qu'il soit vraiment mon père, et, sincèrement, j'en doute.

— Je comprends qu'il soit malaisé d'accepter d'être le rejeton d'une pareille crapule. Pourtant, je peux vous assurer que c'est le cas, et que l'information me vient d'une personne qui ne peut se tromper sur le sujet.

— Ma mère serait la seule personne à la détenir, dans ce cas. Vous l'avez retrouvée ?

— Je ne peux rien vous dire, mon cher jeune homme. Non, vraiment. Vous ne soupçonnez pas la moitié de ce qui se trame...

— Où se trouve Wardrop, à présent ?

— Il a été transféré, ce pauvre débris. Ce n'est plus mon affaire. Désolé, mais la manœuvre me réclame. Rien ne doit nous empêcher d'arriver à temps dans les monts Klamath, pour assister à la prochaine éclosion des Ogres Rouges. Et cette extraordinaire machine volante va nous y aider.

— À quelles fins tout cela ? Qu'espérez-vous ? Regagner la guerre ?

Tout sourire s'effaça du visage émacié d'Excelsius Larrymore, et il ressembla à quelque spectre terrible s'apprêtant à accomplir œuvre de vengeance.

— Je suis issu d'une vieille famille sudiste, ruinée par vous autres, les Yankees. Oui, nous finirons un jour par gagner cette guerre. Croyez-vous que nous ayons renoncé ? Nous sommes nombreux, barons d'industrie, politiciens, militaires ralliés à notre cause, qui n'ont jamais renoncé à leur rêve de créer d'autres États-Unis d'Amérique. Puissants, forts, et sans pitié pour nos ennemis. Nous avons perdu les batailles voici quelques années, par la faute d'un pouvoir faible et de généraux vieillissants. Il n'en sera pas de même cette fois-ci. Car plus de confrontations sanglantes dans de sordides tranchées, cette fois-ci, non... Nous nous infiltrerons comme le venin d'un serpent dans toutes les veines de ce pouvoir immonde. Le Président Grant et tous ces libéraux corrompus ne vaincront pas ce poison-là, car nous détenons un pouvoir suprême : celui de la longévité, et peut-être même de l'immortalité... Vous verrez comme l'attrait de cette chose amènera bientôt dans nos rangs ceux que l'on qualifie d'incorruptibles aujourd'hui. À commencer par Allan Pinkerton lui-même, votre si redoutable directeur. On le dit malade, à bout de souffle... Quand nous aurons vaincu, nous rétablirons l'esclavage et les droits des grands propriétaires, la censure des journaux, et nous formerons une armée capable de ravager le monde. Voilà ce que sera la grande nation américaine de demain : un empire qui recouvrira la Terre. Une nation universelle. Quand je pense que ces imbéciles de l'Académie des sciences me prennent pour un illuminé...

À cet instant précis, un coup de tonnerre sourd ébranla le silence et le vaisseau tout entier craqua.

— Ou je me trompe, ou c'est un boulet de canon, diagnostiquai-je, grinçant.

Pour accréditer ces paroles, une deuxième déflagration résonna, plus proche encore.

Larrymore se pencha par le hublot.

— Je vois que Mr. Price a le sens de l'action. J'aperçois un navire de guerre qui approche. Je suppose qu'il vous suivait d'une façon ou d'une autre ? Et voilà qu'il fait parler son artillerie ! Bien, nous allons voir...

Dehors, des cris fusèrent ainsi qu'une salve nourrie de coups de feu. Probablement que mes camarades donnaient à leur tour l'assaut, en profitant de la panique générée par le bombardement.

— C'est fini, Larrymore. Abandonnez.

À mon grand dépit, le professeur afficha une expression de triomphe et me lança avec désinvolture :

— Vous savez, quand j'étais plus jeune, j'adorais concourir aux régates. J'aurais pu devenir un véritable marin si je n'avais préféré la carrière scientifique. Je vais vous montrer.

Il souffla dans un tuyau de communication et donna ses ordres avec l'assurance d'un amiral :

— Appareillage immédiat !

Je profitai de ce qu'Angus Dulles détournait les yeux, inquiet de ce qui se tramait au dehors, pour me lever d'un bond et lui appliquer un sérieux coup de coude à la pointe du menton. Il valsa dans le décor avec la grâce d'un hippopotame. Avant que Larrymore eût tiré son revolver, je bondis sur le mur pour arracher un sabre d'abordage et me précipitai par l'écoutille. Dehors, l'air était saturé de poussière et de fumée. Je déboulai sur le pont juste à temps pour assister à une incroyable manœuvre. L'équipage au grand complet avait regagné le bord, remonté la passerelle et agitait les manettes de puissants compresseurs. En un instant, les immenses hélices brassèrent violemment l'air. Les ailes membraneuses se déployèrent et j'éprouvai la sensation d'être aspiré dans les hauteurs.

J'écartai brutalement de ma route un matelot et me juchai sur le bastingage. En un éclair, j'embrassai la scène grandiose : depuis le large, une canonnière martelait la plage de ses boulets, lesquels formaient d'énormes cratères tout autour du vaisseau. Armando, Elly et Cross traversaient la plage au grand galop au mépris du danger pour donner l'assaut ! Ils me crièrent quelque chose que je n'entendis pas. Je devinai qu'ils m'exhortaient à quitter l'engin au plus vite. Ils en avaient de bonnes. Il était trop tard : l'extraordinaire vaisseau s'était déjà élevé à une altitude telle qu'il m'était désormais impossible de sauter.

La voix d'Angus Dulles claqua dans mon dos.

— Galore, ne fais donc pas l'imbécile. Tu es invité pour ton dernier voyage.

Je me retournai la mort dans l'âme. J'étais cerné par les hommes de la Brigade Pâle. Je considérai avec dépit mon sabre d'abordage. Estimant qu'il ne m'était plus de la moindre utilité, je le jetai par-dessus bord.

19. EN CHEVAUCHANT LES NUAGES

Nous volions. Nous nous étions arrachés à l'attraction terrestre et planions au-dessus des arbres, des cours d'eau et des collines. Quelle sensation, inédite, extraordinaire. J'en oubliai jusqu'à mon avenir incertain. Et pour être incertain, il l'était. Larrymore ne s'était pas donné le mal de m'enfermer, ni même de m'entraver les mains. Où aurais-je pu aller ? Nous étions entre ciel et terre, avec pour toute compagnie celle des oiseaux, qui frôlaient les gréements d'une aile curieuse. À peine si l'équipage me prêtait attention, à l'exception de Dulles. Lui, nonchalamment installé sur la dunette, près de la barre, faisait mine de tailler un bout de bois en me glissant des regards à la dérobée, comme autant de promesses de vengeance.

J'affectais de ne pas m'en apercevoir...

La côte de Bodega Bay s'était depuis longtemps effacée dans les brumes du lointain. Libre de mes mouvements, j'avais le loisir de m'accouder au bastingage de ma prison volante, tantôt à la proue, tantôt à la poupe, pour goûter ces moments privilégiés que je pensais être les derniers. Je ne pouvais m'empêcher d'admirer les paysages si divers qui défilaient sous la coque, autant que la rotation majestueuse des hélices et l'envergure des ailes nervurées. Fabuleux vaisseau que soulevait la plus puissante machinerie à air propulsé qu'on n'ait jamais construite depuis...

Alors que nous franchissions un profond canyon, le vertige me saisit à l'improviste et je dus me reculer pour n'avoir pas la tentation de basculer par-dessus bord.

— Le premier vol à bord est toujours impressionnant, déclara Larrymore qui s'était approché de moi en catimini. Vous êtes résistant pour un novice. L'organisme humain n'est pas encore préparé à ces altitudes, ni à ces vitesses. Un jour, sans doute... C'est pourquoi ceux de la Brigade Pâle servent d'équipage. Ils ne sont sensibles à aucun malaise.

— Cet engin porte un nom ?

— À quoi bon, puisqu'il est unique ? Il se pilote comme un navire, ou presque ! Il a été assemblé dans le plus grand secret, dans l'Est. Aucun pays au monde n'en possède de semblable. Le temps venu, cette puissance aura un impact décisif pour faire valoir les droits de la nouvelle Confédération.

À ce moment, un courant ascendant aspira la machine vers des hauteurs et l'air devint plus rare. Le souffle me manqua, ce qui fit sourire Larrymore de toute évidence habitué au phénomène.

— Voyez, Galore. Les mêmes lois régissent l'homme dans le ciel comme sur terre : certains peuvent respirer à haute altitude. D'autres pas.

La parole me manqua. Je commençais à éprouver un violent mal de tête. À cet instant, le second vint prévenir le commandant.

— Turbulence droit devant !

Une frange de pluie chargée d'éclairs se déployait en effet avec une vélocité foudroyante, dévorant le ciel jusqu'alors limpide. En dépit de la masse du vaisseau, la menace était à prendre au sérieux. La prudence la plus élémentaire aurait dû m'inciter à déserter le pont, mais la perspective d'une lutte à venir aussi formidable me riva à ma place. Larrymore accueillit la nouvelle avec une certaine jubilation et reprit le contrôle de la barre, grande roue vernie aussi pimpante que celle d'un trois-mâts.

La déferlante nous frappa de plein fouet. Les instruments de navigation alignés sur les consoles s'affolèrent : boussole, manomètres et autres cadrans dont l'usage m'était inconnu donnaient libre cours à la folie de leurs aiguilles.

— Comment comptez-vous nous tirer de là ? m'inquiétai-je.

— En montant en flèche, Mr. Galore ! s'esclaffa le savant.

Il se tourna vers son second.

— Jetez du lest et parez à la montée !

Larrymore n'avait décidément plus rien du vieillard défaillant que j'avais soutenu à la Société des sciences. Il s'arc-boutait à la barre, tendu comme un arc, offrant l'apparence d'une redoutable figure de proue sur laquelle jouait la lumière des éclairs. Son nez d'aigle, ses yeux perçants sous les sourcils bruns, ses joues creuses semblaient l'expression même de la détermination et de la soif d'espace. Et tandis que les premières écharpes de pluie inondaient la nacelle, il poussa les manettes. Les hélices tournèrent si vite qu'elles ne furent plus que lumières brassant les nuées. Le fantastique navire s'éleva dans les airs avec majesté. Des aigrettes électriques parcoururent les câbles. Je reçus une décharge dans la main.

— Électricité statique ! prévint Larrymore.

Durant d'interminables minutes, le navire lutta contre les forces de la Nature avant que, d'un seul coup, il ne crève le plafond des remous sombres pour jaillir dans un ciel limpide. L'air glacé plaqua mes vêtements détrempés sur ma peau et je me mis à claquer des dents. Du sang coula de mon nez. Nous dérivions dans une immobilité surréaliste. Planté à la barre, l'œil mobile interrogeant ses instruments de vol, Larrymore guidait sa monture des airs avec une absolue maîtrise. L'orage passa à quelques encablures au-dessous de la nacelle pour dérouler ses tourbillons furieux plus à l'ouest.

Nous redescendîmes bientôt dans une vallée bordée de montagnes abruptes dont les paysages me parurent familiers. Je reconnus soudain le chemin de pierraille qui se dessinait à flanc de montagne, celui-là même que j'avais si péniblement gravi à cheval quelque temps auparavant. Trader Camp s'étendait à nouveau sous mes yeux, en surplomb du torrent... Ou du moins ce qu'il en restait, car à l'emplacement du village de tentes planté au bord de la falaise, subsistaient seulement des canalisations de bois abandonnées et des piquets abattus. Le sol boueux était jonché de détritus. Quelles menaces, ou quelles promesses avaient bien pu pousser les prospecteurs à déserter leurs concessions ? À cette question qui devait se deviner sur mes lèvres, Larrymore répondit avec sa suffisance coutumière :

— C'est très simple, ces gens commençaient à poser trop de questions. La Californian Prospect a donc publié des rumeurs dans les journaux, selon lesquelles un colossal filon avait été découvert de l'autre côté de la montagne. Il n'en a pas fallu davantage pour que tout ce petit monde déménage et nous laisse le champ libre avant le rituel. Rien n'est plus aisé à manipuler qu'une foule avide.

— Que se passera-t-il quand les mineurs s'apercevront de la supercherie ?

— Il sera trop tard. La Californian Prospect a déjà racheté la vallée pour une bouchée de pain. Les prospecteurs devront nous manger dans la main pour récupérer leurs parcelles qu'ils ont eu l'imprudence de vendre dans la hâte.

— Encore des malversations.

— Quand le but est noble, peu importe si les moyens pour y parvenir ne le sont pas.

— Kieron Morley n'est plus là.

— Il sera vite remplacé. Il ne s'agit là que d'un détail auquel nous pourvoirons bientôt.

— Vous m'offrez imprudemment bien des indices, professeur.

— Parce que je sais pertinemment que vous n'aurez jamais le loisir de les utiliser, agent Galore.

Sur ces paroles peu engageantes, Larrymore se tourna pour donner des ordres. Un instant plus tard, nous survolions l'entrée de la concession à l'intérieur de laquelle Weyland et moi nous nous étions aventurés. C'était ici que tout avait débuté, et j'avais désormais le sentiment que c'était ici que tout se terminerait... Le vaisseau des airs atterrit en balayant les alentours de son souffle puissant... Je compris alors ce qui s'était passé le jour de l'enlèvement de Weyland, et la raison pour laquelle il s'était volatilisé sans laisser de trace. Tout comme moi, il avait été enlevé par la voie des airs.

Les matelots jetèrent des ancres qui achevèrent d'arrimer l'engin, et les machinistes stoppèrent les compresseurs. Les hélices s'immobilisèrent, les ailes se replièrent... Angus Dulles se chargea de dérouler l'échelle de coupe avant de m'inviter, assez peu délicatement, à descendre en premier sur la terre ferme. Et tandis qu'il me poussait devant lui, j'aperçus des mouvements furtifs parmi les rochers qui nous entouraient. Soudain, des Indiens Pomos apparurent, vêtus de leurs costumes en laine grossière et coiffés d'épais bandanas. Ils éprouvaient manifestement une crainte superstitieuse vis-à-vis de la machine volante et n'avancèrent pas plus que de raisonnable. Il était aisé de comprendre comment Larrymore et les siens avaient pris l'ascendant sur ces esprits rebelles. Ils devaient les comparer à des messagers de leur dieu Kuksu.

Et c'est avec prudence que les Pomos approchèrent pour nous inspecter Dulles et moi, avant d'échanger des signes qui pouvaient passer pour preuve d'acceptation. Le plus ancien d'entre eux me questionna, et j'étais bien en peine de lui répondre quand la chamane descendit à son tour de la passerelle, le professeur Larrymore dans son sillage. À la façon dont les Indiens changèrent de comportement, passant du soupçon à la plus totale vénération, je compris que la repoussante femme-médecine et le professeur d'entomologie étaient liés par une sorte de pacte profitable à tous deux. Car en liguant leurs pouvoirs, ces deux-là imposaient respect et effroi à ce farouche peuple des montagnes, exploit dont personne d'autre n'aurait pu se vanter.

Nous suivîmes les Pomos en procession parmi les rochers drus jusqu'à un minuscule village construit de branchages tressés qui se confondait si parfaitement avec les environs qu'un regard distrait n'aurait probablement pas décelé son existence. Sous les auvents de peaux tendues, des femmes à la peau sombre, vêtues de tabliers de coquillages, vaquaient à couper de la viande en lanières. Elles riaient en secouant leurs cheveux noirs et épais, et en découvrant leurs dents inégales. À notre passage, toutefois, elles s'empressèrent de disparaître en abandonnant leurs ustensiles.

Je fus poussé sans ménagement à l'intérieur de la plus grande de ces cases. Un vieillard décharné était assis en tailleur au centre d'une natte ronde, les yeux mi-clos dans la fumée, les bras ballants sur les genoux repliés.

— Weyland ! m'écriai-je en reconnaissant mon compagnon. Sacré bon sang, vous êtes en vie !

L'ancien éclaireur leva vers moi un regard où couvait une énergie vacillante. Je le pressai contre moi, tout à la joie de le retrouver, mais il m'opposa un masque réprobateur.

— Tu n'es pas plus malin qu'un bourricot ! me lança-t-il. Crois-tu qu'il m'était aisé, dans ma situation, de déployer mon énergie pour venir te parler à Alcatraz ? Et qu'as-tu retenu de mes avertissements ? Rien. Tu devrais être à l'autre bout du pays, pèlerin, et pas dans ce fichu village pomo !

— Vous en avez de bonnes. Comme si j'avais eu le choix. Ils vous ont bien traité ?

— Aussi aimablement qu'un scorpion.

— Vous avez une mine effroyable.

— J'ai dû les convaincre que le Grand Kuksu, leur dieu suprême, serait très contrarié s'ils touchaient un seul de mes cheveux, aussi j'ai dû leur faire une démonstration de magie. Ce n'est pas rien que d'invoquer la force du Puha, tout en essayant de protéger de loin un bougre d'inconscient dans ton genre ! Le temps d'un nouveau rituel approche. Ils ne peuvent se permettre le moindre faux-pas.

— Quand aura-t-il lieu ?

— D'après ce que j'ai compris, au moment où les chenilles des Ogres Rouges se métamorphosent en papillons. Et les simples mortels comme nous en cavaliers de l'enfer... Il faut les faire échouer.

— Je ne vois pas comment. On est dans de sales draps.

— L'Agence sait-elle que tu es ici ?

— J'en doute. J'ai voyagé à bord d'un véritable astronef.

— Alors, nous devrons faire avec les moyens du bord, conclut Weyland.

— Grâce à votre mystérieuse magie, votre faculté de vous dédoubler à loisir ? Vous vous étiez bien gardé jusque là de vous en vanter.

Un sourire finaud passa sous la barbe en broussaille de mon vieil ami, et son regard pétilla de malice.

— Et encore, tu n'as pas tout vu...

J'aurais voulu le questionner plus avant mais à cet instant précis, un mouchoir me fut plaqué contre les narines. J'eus le temps d'identifier l'odeur du chloroforme. Furieux, je voulus me retourner pour frapper celui qui m'avait ainsi pris en traître, mais je me sentis irrémédiablement partir. Derrière le brouillard qui obscurcissait ma vue, Angus Dulles m'adressa son détestable sourire de demeuré.

— Tu devrais te réjouir, Pink ! murmura-t-il à mon oreille. Tu vas bientôt devenir des nôtres...

20. BRUME AILÉE

Je reconnus l'endroit sitôt que je rouvris les yeux : la salle recouverte d'éclats de céramique pourpre, à laquelle on accédait par la porte secrète frappée du papillon géant. Là où tout avait commencé... Je me trouvais dans le creuset d'où sortaient ceux de la Brigade Pâle, à cet endroit précis où ils abandonnaient leur âme, leur esprit, pour devenir autres, marionnettes malléables, au service d'un idéal criminel. Mon cauchemar à Alcatraz me revisita... J'étais cette fois en train de le vivre pour de bon.

Je voulus étendre mes bras, mais en fus empêché par l'étroitesse de la cage de jonc à l'intérieur de laquelle je me trouvai suspendu à deux mètres au-dessus du sol griffonné des peintures anciennes. La représentation grimaçante du dieu Kuksu semblait me narguer dans la lumière des torches. Une peur instinctive s'empara de moi et je secouai vigoureusement les barreaux de vannerie, en vain.

— Garde ton souffle, pèlerin, entendis-je à mes côtés. Le moment venu, il faudra mobiliser toute ton énergie...

Je n'étais pas le seul prisonnier. Weyland se balançait à mes côtés dans une cage identique à la mienne. Son calme apparent me fut d'un maigre réconfort.

— Je ne me sens pas bien, lui confiai-je.

— Les effets du chloroforme... me tranquillisa-t-il. Ils vont vite se dissiper, chez un jeune gaillard en bonne santé comme toi...

Levant les yeux, j'aperçus Larrymore qui me surplombait depuis une saillie rocheuse en compagnie de la hideuse chamane.

— Quand tout sera terminé, vous me remercierez ! Vous aussi, Weyland ! Vous faites tous deux de fameuses recrues, et vous réussirez là où Wardrop et Dulles ont échoué : vous infiltrerez la clique à Pinkerton et nous rendrez compte du moindre de ses faits et gestes. Avez-vous l'heure, agent Galore ?

Je fouillai machinalement ma poche-gousset pour y découvrir une montre que je n'avais jamais vue auparavant. Je n'osai en ouvrir le couvercle.

— Elle s'arrêtera à trois heures dix précises, augura Larrymore. Ne vous plaignez pas. En échange, les Ogres Rouges vous donneront le souffle de la vie éternelle...

En contrebas, des guerriers Pomos affublés de masques peints s'assemblèrent pour des pas de danse tribale au rythme lancinant d'un tambour. Tour à tour, ils s'approchèrent d'une vasque en argile dont ils tirèrent des serpents à sonnette qu'ils agitèrent à bout de bras avec une virtuosité confondante. Ils s'évertuaient à approcher leurs visages des têtes venimeuses par une sorte de défi à la mort qui donnait froid dans le dos, avant de les brandir dans notre direction. Inutile de dire que les reptiles malmenés appréciaient peu la situation et s'enroulaient autour de leurs poignets en guise de représailles... Une seconde d'inattention, et le danseur aurait risqué une mort aussi soudaine que terrible... Weyland avait eu raison. Rien de commun avec les *ghost dances* folkloriques auxquelles se livraient les tribus des plaines. Celle-ci inspirait le malaise et l'effroi.

Puis la chamane descendit du promontoire dans sa grande robe sombre au milieu des danseurs, et son ombre déformée rampa sur les murs écailleux. Je crus d'abord à une hallucination. Un tel prodige ne pouvait se dérouler, là, devant moi. Et pourtant, je l'atteste, la femme aux pustules modifia son apparence, se tordit et l'allongea jusqu'à devenir cette incarnation ailée peinte à l'entrée... Un papillon à tête humaine...

Un vent de panique ébranla ma raison. Je me tournai vers Weyland. Les yeux clos, le masque impénétrable, il paraissait étranger à l'horreur de la scène qui se déroulait au-dessous.

— Weyland ! Weyland, réveillez-vous !

— Je suis réveillé, pèlerin. Pas la peine de crier.

— On ne peut pas rester ici ! On ne peut pas !

Il souleva ses paupières avec une expression de sérénité dont je ne sus si elle devait m'apaiser ou m'effrayer plus encore.

— Le moment venu, tu devras rassembler toutes choses en toi et laisser le vent t'envahir...

— Weyland, qu'est-ce que vous me racontez ?

— Pense à Poisson-qui-file-sous-la-pierre...

Sur cette étrange recommandation, il referma les yeux.

La chamane-papillon étendit ses ailes membraneuses et psalmodia des invocations dans sa langue rude et obscure, s'adressant tantôt au ciel, tantôt à la terre. Sa voix se fit plus forte, et son chant se para de tonalités étranges qu'on avait peine à imaginer sortant de la bouche d'un être humain. Puis elle brandit son sifflet d'os orné du plumet, et souffla longuement à l'intérieur, tirant un son modulé qui semblait épouser tous les sons de l'univers. À cet appel pressant, un bruissement venu des profondeurs répondit, qui s'amplifia jusqu'à devenir si assourdissant que je dus plaquer mes mains sur mes oreilles. Les flammes vacillèrent... Et la caverne tout entière se mit à bouger...

Des papillons, des papillons par milliers se détachèrent des parois pour nous envelopper dans les replis de leurs ailes soyeuses. Les parois de la grotte semblèrent s'ébrouer et en une fraction de seconde, les éclats de céramique prirent leur essor. Nous fûmes noyés sous une myriade d'insectes volants, aux dessins pourpres si finement ciselés, si uniques... Les Ogres Rouges. Partout. Tout ce temps, c'était leurs chrysalides qui avaient orné les murs en leur donnant ce magnifique aspect de poterie. Dire que je n'avais rien soupçonné... Maintenant, ils se libéraient de leur écrin pour s'évaporer dans la nuit par toutes les failles possibles de la montagne. Au milieu du vacarme, j'entendis la voix de Weyland :

— Maintenant ! Avant qu'il soit trois heures dix ! Laisse le vent t'emporter...

Les bruits s'atténuèrent. Les lumières s'abaissèrent. Je fus saisi par la sensation que la course effrénée du temps venait de s'interrompre. Je me déplaçai sans que mon corps esquisse le moindre mouvement. J'étais ici une seconde avant. J'étais ailleurs la suivante. Quand la réalité se reforma devant mes yeux, je n'étais simplement plus dans la cage, mais accroupi sur le promontoire rocheux, à l'écart de la nuée vrombissante des lépidoptères. Par quel miracle m'étais-je libéré de la cage ? Ou plutôt, par quelle magie ? La main de Calder Weyland se referma sur mon épaule avec une force dont je ne l'aurai pas cru capable. Je croisai le regard du vieux bonhomme, et je compris. Le Puha. La force des éléments. À l'instar des Indiens Païutes, il parvenait à maîtriser cette énergie cosmique, et il m'en avait fait profiter. Il m'examina avec attention, épousseta mes beaux habits déchirés, et conclut avec sa faconde habituelle.

— Magnifique, pèlerin. Tu es indemne. Les Ogres Rouges ne t'ont pas transformé, et ce maudit rituel a échoué.

Nous n'étions pas tirés d'affaire pour autant. Les Pomos s'étaient figés dans leur transe, interdits par notre tour de passe-passe, et je lus la crainte sur leur visage. C'est alors que la femme-papillon fondit sur nous en déployant ses ailes. Elle balaya Weyland de sa route comme s'il n'avait été qu'une encombrante brindille et se jeta sur moi. Je reculai maladroitement sur mon fessier pour me soustraire à son étreinte. J'étouffai presque sous le poids de la monstrueuse créature ailée quand Weyland reparut dans son dos. D'un geste sec, il lui arracha le sifflet d'os suspendu à son cou et le brisa net entre ses mains. La Chamane poussa des cris d'orfraie et reprit soudain son apparence humaine. Elle se trémoussa violemment, saisie de convulsions, en entamant malgré elle une danse à la fois terrifiante et grotesque qui la mena au bord du promontoire. D'une bourrade, je la poussai dans le vide.

Elle s'écrasa quelques mètres plus bas sur la figure de Kuksu, parmi les crotales en liberté que cette agitation avait mis en furie. Je préférai détourner les yeux du sort qu'ils lui réservèrent. C'en fut trop pour les Pomos. Oubliant toute bravoure, ils détalèrent sans se soucier de son sort. Au même instant, une explosion ébranla la montagne entière. Le temps de comprendre ce qui se passait, une deuxième explosion se produisit, puis une troisième qui cette fois provoqua l'éboulement d'une partie de la voûte.

— Il faut ficher le camp, constata Weyland, ou cet imbécile de Price finira par nous ensevelir vivant sous un déluge de feu !

Je lui donnai raison, et nous nous joignîmes aux Indiens qui remontaient à la surface par les galeries envahies par la poussière. Quand nous parvînmes à l'air libre, au cœur du village, nous fûmes accueillis par un spectacle confondant. À la lumière des éclairs qui déchiraient la nuit, nous découvrîmes un ciel empli de ballons dirigeables, semblables à ceux qui avaient été utilisés pendant la guerre de Sécession pour espionner les lignes ennemies. Mais cette fois, les soldats qui se trouvaient à bord jetaient des grenades. Les huttes pomos prenaient feu une à une. Des femmes couraient en serrant leurs enfants contre elles. Les guerriers fuyaient par les sentiers de montagne, abandonnant leurs masques effrayants et leurs colifichets de coquillages derrière eux.

L'un des ballons toucha le sol devant Weyland et moi. De son bord débarquèrent Armando, Elly, et Gideon Cross, qui se pressèrent autour de nous avec la joie évidente de nous revoir en vie.

— D'où sortent ces ballons ? demandai-je, ébahi par ce déploiement de forces aériennes.

— Réquisition par ordre de Mr. Price, m'informa Gideon. Dès qu'il a vu la fuite du fameux dragon depuis le cuirassé, il a envoyé un télégramme. En moins de quatre heures, il avait rassemblé cette flottille de dirigeables. Il a le bras long, votre Mr. Price !

— Par quel miracle a-t-il retrouvé notre trace ?

— Ça, il faut demander à notre pisteur, se félicita Elly. Sûr que la Femme Changeante marche avec lui.

Armando se contenta d'afficher un sourire modeste. Oui, il était probablement le seul à savoir suivre une piste dans les nuages. Je mis toutefois un terme à nos touchantes retrouvailles, car j'avais bien conscience de n'avoir pas entièrement soldé mes comptes... Et un vrombissement sourd vint opportunément me le rappeler :

— La machine ! m'écriai-je. La machine ailée redécolle !

Profitant de la confusion générale, Larrymore essayait de sauver ce qui pouvait l'être encore. Après tout ce qu'il m'avait fait subir, mon sang ne fit qu'un tour, et je me mis à courir comme un coyote ivre de rage parmi les rochers, jusqu'à l'aire où le vaisseau des airs s'était amarré. Je ne m'étais pas trompé. Depuis la dunette, Larrymore ordonnait l'appareillage...

J'arrivai juste à temps pour m'accrocher à l'une des cordes d'amarrage qui traînait encore. Angus Dulles me repéra. Il parut se réjouir de me voir battre des pieds dans le vide, alors que le dirigeable prenait de la hauteur, car son vilain sourire revint sur sa face ronde. Il fit un petit geste avec le pouce et une flamme jaillit, dont il s'amusa à caresser le filin auquel j'étais suspendu. Il dut toutefois renoncer à son projet car plusieurs balles sifflèrent près de ses oreilles.

— Agence Pinkerton, tonna Leonard Price dans un porte-voix. Vous êtes en état d'arrestation. Atterrissez où nous tirons à vue !

Au lieu d'obtempérer, Larrymore fit exécuter à son engin un prodigieux bond dans la nuit, méprisant la mitraille qui éclata aussitôt en réponse. Des projectiles me frôlèrent dangereusement avant de venir érafler la coque blindée, moi qui pédalai dans le vide. Le cœur dans la gorge, je crus bien que j'allais lâcher prise mais j'étais dominé par un tel sentiment de rancune que, pouce après pouce, je parvins à me hisser le long du filin jusqu'au bastingage. À peine m'y fus-je agrippé que Dulles se jeta sur moi et m'écrasa la figure sous ses doigts boudinés. Je parvins à me dégager et le saisissant rudement à la gorge, je finis par lui assener un solide coup de poing en pleine mâchoire, puis un second... qui le laissèrent parfaitement de marbre.

Il se contenta d'essuyer sa bouche, d'où coulait une répugnante humeur verdâtre, et me projeta sur le bord opposé. Je n'étais pas encore remis sur mes pieds qu'il était déjà sur moi avec la vivacité d'un serpent à sonnette, m'emprisonnant sous sa masse. Il fit jaillir une flamme au bout de son pouce, puis de ses autres doigts, dont il menaça mes sourcils. In extremis, je parvins à bloquer le bras de ce fou furieux. Nous restâmes ainsi à lutter en silence, force contre force, et j'aurais probablement cédé le premier si un renfort inespéré ne m'avait secouru à cet instant. Probablement touché par les tirs, le vaisseau des airs avait réduit son altitude et frôlait désormais la cime des sapins. Une branche balaya soudain le pont et emporta Dulles dans l'obscurité. Je l'aperçus accroché à un arbre, une expression de stupidité peinte sur le visage, qui m'aurait fait m'esclaffer en d'autres circonstances.

Mais je n'eus guère le temps de savourer ma victoire.

C'est que l'astronef, privé d'une partie de son équipage, ses gouvernes endommagées, ne se contentait plus de perdre de la hauteur. Il louvoyait dangereusement au risque de heurter les versants si proches de la montagne. Agrippé à la barre, Excelsius Larrymore s'acharnait sur la barre, mais en vain. Nous plongions sans rémission vers le torrent qui longeait Trader Camp. L'accident était inévitable. La coque effleurait déjà l'eau bouillonnante. Je vis là une chance unique d'en réchapper. Je sautai à l'eau. Les remous glacés m'accueillirent brutalement. Je donnai de furieux coups de talon pour remonter à la surface. Haletant, je dus longuement lutter contre le courant avant de pouvoir m'échouer sur le rivage de galets, où je roulai sur le dos, brisé, exténué.

Quelque part dans la nuit, j'entendis un impressionnant vacarme, puis plus rien.

J'étais là depuis un bon moment, à reprendre haleine, quand une main se tendit vers moi pour m'aider à me relever.

— Je parie qu'un bain chaud nous ferait le plus grand bien à tous les deux. Tu ne crois pas pèlerin ?

21. LE PORTRAIT BRISÉ

En dépit de son nom à consonance française, *La Farandole* n'avait rien de bien différent des autres cabarets qui pullulaient aux abords du port de San Francisco. Imbriqué entre deux immeubles en bois, il balançait son enseigne aguicheuse dans la brume au rythme du vieux piano qui, de l'intérieur, égrenait des airs populaires pour tout le quartier. La lie des marins semblait s'y donner rendez-vous, et je pris garde de ne froisser personne en me frayant un passage avec mes beaux habits tout neufs et mon chapeau melon soigneusement brossé.

La salle minuscule, festonnée de filets de pêche et de lampes tempête était littéralement prise d'assaut. Quelle était la raison de cette affluence ? Surplombant cette houle humaine, une chanteuse vêtue à la mode française, froufrous et dentelles de pacotille, apparut subitement de derrière un rideau, enlaça le pianiste chauve et entonna une vieille rengaine en adressant des œillades canailles à la ronde. Aussitôt, les clients abandonnèrent qui sa conversation, qui sa partie de dés, pour prêter l'oreille à l'artiste. Elle n'était plus si jeune, cette « prima donna » des bas-fonds, au tour de taille conséquent et aux mimiques vulgaires. L'éclairage chiche autant que l'épaisse couche de maquillage ne m'aidaient guère à reconstituer ses traits, mais peut-être... Je sortis la photographie de ma mère pour me livrer à une comparaison... Cette femme n'avait pas le même visage, mais peut-être quinze années avaient-elles altéré ses traits. Ses cheveux n'avaient pas la même couleur, mais peut-être étaient-ils teints. Quant à ses mimiques exagérées de music-hall, elles n'évoquaient aucun souvenir en moi.

Certains exaltés s'essayèrent à rejoindre la belle sur les planches, mais elle les repoussa impitoyablement du talon dans les bras de leurs camarades sous les rires et les quolibets. Quand les chansons furent finies, elle s'inclina avec la grâce des artistes, et il nous fut alors demandé d'applaudir chaudement la célèbre, l'inégalable Daisy Montel, la star adulée du Tout-Paris.

Je voulus pourtant en avoir le cœur net. Plutôt que me mêler au rang des admirateurs qui s'étirait devant sa loge, je préférai attendre dans la ruelle, devant la sortie des artistes, adossé à une pile de casiers à homards. La porte ne tarda pas à s'ouvrir et l'artiste sortit à la dérobée. À peine si je la reconnus tant elle n'avait plus rien à voir avec la gouailleuse qui avait déchaîné l'enthousiasme quelques instants auparavant. Privée de maquillage, ce n'était qu'une femme fatiguée, aux yeux cernés, aux joues creusées de rides. Quand elle me vit, sa mine se fripa davantage encore et elle eut un mouvement pour retourner à l'intérieur. Je soulevai légèrement mon chapeau, mon badge officiel à la main.

— Ne vous méprenez pas, madame, je suis de l'Agence Pinkerton. J'aurais quelques questions à vous poser.

Sa physionomie changea et elle arbora un sourire méprisant qui dévoila un bref instant des dents jaunies par le tabac.

— Par mes jarretelles ! s'écria-t-elle en posant son poing sur sa hanche. La marée rapporte ici tout un tas de saletés, mais un Pinkerton ! Qu'est-ce que tu me veux, mon mignon ? Tu vas m'arrêter, dis ? Me passer des menottes ?

Durant le trajet en fiacre, j'avais eu tout le temps de peaufiner ma stratégie et décidé de ne pas dévoiler le véritable but de mon interrogatoire. Je tirai la photographie judiciaire de Cecil Wardrop et la lui tendis :

— Vous connaissez cet homme ?

Elle jeta un coup d'œil, fit la moue, et secoua négativement la tête.

— Jamais vu, m'affirma-t-elle. Des hommes, j'en vois tant !

Je ne déchiffrai rien sur son visage m'indiquant qu'elle mentait.

— C'est un dangereux criminel qui s'est évadé du fort militaire d'Alcatraz. Il nous a parlé de vous...

— Ah vraiment, mon chou ? Dis voir, ça ne te dérange pas de me raccompagner pendant qu'on cause ? J'ai fini ma journée, et il ne me tarde qu'une chose, rentrer chez moi prendre un bain. Alors tu disais, ce Burrow ?

— Pas Burrow, madame, Wardrop. Cecil Wardrop. Il affirme vous avoir connue à Saint-Louis, il y a une vingtaine d'années.

— Mon petit, j'étais à Saint-Louis voilà une paie, et aussi à Albuquerque et Tucson, et Dodge City... Tu veux que j'énumère toutes les villes de l'Union où il y a des saloons ?

— Pas Paris ?

— Daisy Montel, c'est pour le show mon mignon. J'ai vu Paris, une fois : sur une carte postale. Personne n'est dupe, mais les gens veulent rêver, pas vrai ?

Nous longions alors les baraquements du port et elle s'arrêta dans une flaque de lumière dispensée par l'un des rares réverbères. J'eus le pressentiment qu'elle venait de me percer à jour.

— Tu ne crois quand même pas me berner, dis voir ? Qu'est-ce que tu me veux, au juste ? T'es un admirateur, en plus ?

— Si c'était le cas ? demandai-je, la gorge nouée.

— Ce serait cinq dollars pour la nuit, parce qu'une personne de mon âge se mérite. Je ne sais pas ce que tu cherches, gamin, mais je te conseille d'aller voir au large si j'y suis.

Abandonnant mes belles résolutions, je tendis ma vieille photographie cerclée dans son cadre doré mal en point.

— Ce n'est pas vous, là-dessus ?

À peine si elle y jeta un œil.

— Vraiment ? J'en ai l'air ? Écoute, mon Pink chéri, à ton âge, tu devrais regagner ton chez-toi. Ta maman doit s'inquiéter.

Elle me planta là et poursuivit son chemin d'une démarche pressée. Je devais abattre ma dernière carte.

— Vous avez eu un enfant avec Cecil Wardrop en ce temps-là, madame ! Là-bas, à Saint-Louis, il y a vingt-et-un ans. Et c'est peut-être moi !

Elle hésita avant de pivoter sur ses talons pour revenir me toiser avec une dureté dans le regard qui me fit frissonner.

— Si j'avais eu un gamin, dis-toi que je l'aurais abandonné sans remords dans les bras de l'accoucheuse pour prendre la première diligence. Je n'ai jamais eu d'enfant, avec personne... Et surtout pas avec Cecil Wardrop... Lui et son frère étaient des canailles de la pire espèce. Ah, les Frères Wardrop... Personne n'aurait eu envie de les avoir pour amis, et moins encore pour amants. Maintenant, petit, je te conseille d'aller faire ton rapport et d'oublier. Oublier, oui. C'est la seule consolation qui reste parfois.

J'avais peine à imaginer que de si terribles paroles puissent sortir de la bouche d'une femme. Elle fit mine de repartir, mais je la rattrapai vigoureusement par le bras.

— Cecil Wardrop avait un frère, vous en êtes certaine ? Je peux savoir son nom ?

— Montgomery, mais tout le monde l'appelait Monty. C'était un joueur, un tueur. Il a fait fortune dans l'Est, grâce aux trafics pendant la guerre, c'est tout ce que je sais. Lâche-moi, tu me fais mal.

Sur ces mots, elle se dégagea vivement de mon étreinte et s'éloigna comme si j'étais déjà sorti de ses pensées. Le brouillard rabattit ses volutes glacées sur sa silhouette fanée. Tel le rideau après une représentation...

22. ÉPILOGUE

« Lisez le *San Francisco Chronicle* ! L'affaire du monstre ailé n'était qu'un canular publicitaire ! Lisez le *San Francisco Chronicle* ! »

En regardant passer le crieur de journaux, Leonard Price se permit un sourire tout en allumant l'un de ces cigarillos à l'abri des courants d'air. Je devinai le sentiment malicieux qui devait l'agiter, alors que nous marchions tous deux comme n'importe quels honorables citadins parmi la foule des boulevards.

— Une fois de plus, l'Agence s'arrange pour que rien ne s'ébruite, lui fis-je remarquer.

— Ordre de Mr. Le Directeur, Agent Galore. Je vous l'ai dit, l'ignorance est une forme de protection. Regardez ces gens autour de nous. N'aspirent-ils pas tous à la même chose ? Au bonheur ? À la tranquillité ? À un foyer stable et une nation forte ? Pourquoi encombrer leurs esprits avec d'improbables histoires ? Pas de monstres ailés, pas de menace. Pas de menace, pas de soucis. Rappelez-vous l'attitude des scientifiques de la Société des Sciences...

— Vous y étiez ?

— Je suis partout, derrière chacun. On ne me voit pas. On ne m'accorde aucune importance. Ne dit-on pas que je suis le diable ?

À l'évidence, cette comparaison flattait son orgueil et il afficha un petit sourire satisfait, vite chassé par ses préoccupations du moment.

– Nous n'avons pas retrouvé le vaisseau des airs, annonça-t-il, plus ombrageux. Il était pourtant mal en point, mais malgré cela, il a échappé à nos ballons de guerre. Tous nos services sont en alerte. Mr. Pinkerton veut cette machine, ceux qui l'ont conçue, ainsi que ceux dont elle sert les intérêts. Il les veut plus que tout. Il n'est pas question de laisser une société secrète, nostalgique du Vieux Sud, dicter sa loi au Président des États-Unis. Et plus encore, de tenir l'Agence Pinkerton en échec. C'est à vous et à vos amis qu'il revient de mener cette enquête.

Un frisson me parcourut l'échine.

— Est-ce que je dois comprendre que je suis définitivement intégré ? risquai-je.

— Ne dites pas de sottises, Agent Galore, me rabattit rudement mon supérieur. Vous êtes encore à l'épreuve. Je vous suivrai de près. Je veux un rapport quotidien.

— Vous l'aurez.

Il s'arrêta brusquement de marcher pour me considérer d'un air inquisiteur.

— Vous n'étiez pas à votre hôtel, la nuit dernière, insinua-t-il.

— En effet, mais je ne pensais pas devoir vous rendre compte des rares heures de liberté dont je dispose.

— Un Pinkerton n'a pas de liberté, récita-t-il. Un Pinkerton ne dort jamais. Un Pinkerton est un Pinkerton. Jour et nuit. Que me cachez-vous ?

Je jugeai inutile de ruser. Price semblait lire en moi comme dans un livre ouvert.

— Cecil Wardrop aurait un frère quelque part dans l'Est.

— Un frère ? releva le directeur de la Branche Spéciale avec un haussement de sourcils intrigué. Quelle est votre source ?

— Une personne digne de foi. Montgomery, tel est son prénom, mais il est possible qu'il se dissimule sous une autre identité.

Leonard Price me considéra avec un intérêt renouvelé.

— En effet, c'est une idée. Nous avons perdu la trace de Wardrop et cela chagrine également beaucoup Mr. Pinkerton.

— Je me charge de le retrouver.

— Il faudra que j'établisse un nouveau profil de votre personne auprès du directeur, estima-t-il. Qui sait ? Au fond, vous avez peut-être l'étoffe d'un véritable agent.

Nous étions arrivés à la hauteur du bureau de l'Agence. Price appela un fiacre, à l'intérieur duquel il monta d'un pas léger. Au moment de refermer la portière, il acheva :

— Cependant, ne vous faites aucune illusion. Vous devrez encore faire du chemin avant d'intégrer réellement la Branche Spéciale. Il ne suffit pas que nous ayons mis un terme au rituel des Ogres Rouges. Nous devons à présent protéger notre nation de la Brigade Pâle, et éradiquer tous ceux qui l'utilisent comme bras armé de leur sinistre ambition. Vous serez à la pointe de ce combat, vous et vos associés... En particulier ce curieux Navajo qui est capable de lire une piste dans les nuages... Sans lui, vous seriez devenus des leurs, et croyez-moi, nous vous aurions pourchassé sans pitié.

Sur ces paroles sinistres, il donna le signal du départ au cocher et la voiture disparut à travers le trafic dense de ce début de matinée. Trois cavaliers arrivèrent en sens inverse, qui tiraient par la longe deux chevaux sellés. À leur tête, Calder Weyland semblait parfaitement reposé. Il avait discipliné ses longs cheveux blancs en une sorte de natte indienne et son regard luisait de son appétit de départ. À ses côtés, Armando Demayo n'avait pas renoncé à sa tenue d'Indien Navajo ni à son bandana, à cause desquels tous les passants le dévisageaient avec suspicion. Quant à Elly Aymes, elle portait un costume d'homme trop large pour sa fine corpulence et un chapeau assez étroit pour enserrer sa chevelure blonde. Elle se pencha de sa selle pour m'examiner de près, avant de s'enquérir tout de go :

— Tu étais où, la nuit dernière ? Tu n'étais pas dans ta chambre.

— Tu ne vas pas t'y mettre aussi ? J'avais besoin de marcher. J'ai pris l'air. Pourquoi ? Tu te sentais seule et tu as frappé à ma porte ?

— Tu rêves, Galore, comme toujours. Je parie que tu es allé la voir...

— Qui ?

— Fais le malin ! Daisy Montel, qui d'autre ?

— Pas du tout.

— Aussi menteur qu'un joueur de poker. Elle t'a chanté ta chanson ?

À cet instant, Gideon Cross sortit du bureau en enfilant son veston et nous salua avec un large sourire, ce qui m'évita de répondre à la question. Il grimpa sur l'un des chevaux libres conduits par Armando et attendit visiblement que je fasse de même.

— Vous partez en pique-nique ? m'exclamai-je, incrédule. C'est quoi cette expédition ?

— Tu as raté quelque chose, Neil, m'informa Gideon. Pas plus tard qu'hier soir, un pêcheur est venu nous faire une déclaration selon laquelle une machine volante aurait survolé le baleinier sur lequel il était engagé il y a trois jours.

— Comme il était ivre, acheva Weyland, son capitaine n'a pas cru un mot de son témoignage. Évidemment, nous aurions pu partir dès cette nuit, mais que ferait notre équipe sans son chef pour la commander.

Je perçus clairement le soupçon d'ironie qu'il dissimulait sous ces flatteuses paroles, mais je n'en coinçai pas moins les pouces dans les goussets de mon gilet en me donnant un air supérieur.

— C'est maigre, comme piste. Où est-il, ce lascar ?

— Quand il a compris qu'il n'était pas dans le bureau du shérif, mais dans celui de l'Agence, expliqua Elly, il a filé comme un mulet piqué par une abeille.

— Je suis à peine étonné. Notre bonne vieille réputation.

Je grimpai en selle. Pour réaliser soudain que Gideon s'apprêtait réellement à nous suivre.

— Tu n'es pas supposé diriger notre succursale ?

— Terminé, l'administration ! se réjouit l'intéressé avec un enthousiasme mal contenu. Suite à sa demande pressante, Price m'a nommé auxiliaire du célèbre Neil Galore, le pourfendeur de la Brigade Pâle. Et confié la paperasse à un autre.

— Il ne manquait plus que ça, soupirai-je.

Je me tournai vers Weyland et lui glissai à voix basse.

— C'est vous, le patron, l'expert en forces élémentaires, bougre de bonimenteur. C'est à vous de décider la direction que nous prenons.

L'ancien éclaireur contint difficilement son hilarité. Il esquissa ce geste vague et sinueux de la main qu'utilisent les Indiens pour indiquer les voies détournées.

— Droit au nord, pèlerin. C'est la seule direction dont la boussole soit sûre.

TABLE

CET OUVRAGE
A ÉTÉ ACHEVÉ D'IMPRIMER
SUR CAMERON
PAR L'IMPRIMERIE NIIAG
À BERGAME (ITALIE)
EN JUILLET 2011

Mise en page par Meta-systems
59100 Roubaix

N° d'édition : L.01EJEN000475.N001
Dépôt légal : août 2011